佛法专论选

弘一大师 著

中国画报出版社 · 北京

图书在版编目（C I P）数据

佛法专论选 / 弘一大师著 . -- 北京 ：中国画报出版社，2017.1（2022.11重印）
（弘一大师文集）
ISBN 978-7-5146-1385-8
Ⅰ . ①佛… Ⅱ . ①弘… Ⅲ . ①佛教－文集 Ⅳ . ① B948-53
中国版本图书馆 CIP 数据核字（2016）第 247159 号

佛法专论选　　弘一大师 著

出 版 人：于九涛
特别策划：吴红梅
责任编辑：于九涛 郭翠青
助理编辑：魏姗姗
封面篆章：朱广贺
责任印制：焦　洋
出版发行：中国画报出版社
（中国北京市海淀区车公庄西路 33 号　邮编：100048）
开　　本：32 开（787mm × 1092mm）
印　　张：7
字　　数：92 千字
版　　次：2017 年 1 月第 1 版　2022 年 11 月第 2 次印刷
印　　刷：三河市兴国印务有限公司
定　　价：30.00 元
总编室兼传真：010-88417359　版权部：010-88417409
发行部：010-88417360　010-88417417（传真）

目录

佛教的源流及宗派

戊寅年春在泉州梅石书院讲

陈祥耀 记录

今天贵校要我来向各位谈佛教问题，我要讲的题目是《佛教的源流及宗派》。这题目牵涉范围很广，限于时间，我只能讲一些简单通俗的内容，以供各位参考而已。

佛教是释迦牟尼佛创立的。他生于印度的迦毗罗卫国，是个太子。父亲净饭王，母亲摩耶夫人。佛诞生七日，摩耶夫人即逝世，由姨母抚养长大。他名叫悉达多，释迦牟尼是人们尊称他为“释迦族的圣贤”的意思。他为“度世”而降生娑婆世界即忍苦辱的世界，慈悲敏感之心异乎常人。少时身享富贵，甚感恻然，即有出家修道之心。净饭王害怕他出家，曾加劝阻和防范，但他终于离家出走去修道。中外典籍，对佛诞生的时间，有的说是周昭王时，有的说是春秋时；他出家年龄，有的说是十九岁，有的说是二十九岁。他出家后，向一些修苦行的道人（当时也称为“沙门”）学道，学了六或十年左右的时间，觉得没有很大的心得；后来到摩揭陀国菩提伽耶这地方的菩提树下静坐思念，才悟得正法，修成佛道。从此到处宣讲佛法，前后经过四五十年，门徒由少而多，并创立了印度的佛教。在印度，他宣教的地域很广，而以摩揭陀国首都王舍城、萨罗国首都舍卫城的时间为最长。王舍城传法地点是著名的竹林精舍，舍卫城传法地点是著名的祇园精舍（亦称给孤独园）。他的传法，以破除世间迷妄、修持身心清净、普度众生、共求正觉为主，是无上妙音，深得徒众信服，听讲人数很多。他于八十岁时，在拘尸那揭罗国都城的娑罗树下安详涅槃，这一点载籍的说法是一致的。

佛说法是口讲，首先用文字详记成书的，是大弟子阿难。佛涅槃后，弟子对佛说经书，经过四次大规模的讨论和整理，参加人数和结集经书都很多。后来把佛说经书和佛教典籍，编为经、律、论三类，称为“三藏”。佛涅槃前后，佛法已传入印度邻近国家，在东汉时，又传入我国。从印度、西域来我国传教的高僧大德很多，加上我国高僧的共同努力，佛教经籍在我国译述最多，保存最富，据《开元释教录》所载，那时我国所译述的“三藏”经籍，已有一千多部，五千多卷。

据我国“天台宗”的说法，佛在世说法可分为五个时期，第一个时期，向大乘根器的人说《华严经》等大乘教理，这种教理比较高深，有的徒众不能领会；第二时期，向根器较小的人说《阿含经》等教理，这是小乘的，比较容易领会、修持；第三个时期，说“方等”教理，“方等”是包含广的意思。佛恐徒众拘执小乘教理，受到局限，故又广说世间与出世间法，引导大众再接受大乘教理，经书有《维摩诘经》《楞严经》等；第四个时期，继续说《般若》诸经的大乘教理；第五个时期，说《涅槃经》《法华经》等，把从小乘到大乘的教理，重加融通阐释。这样划分称为“五时判教”。“华严宗”的“判教”内容，与此又有不同，这里不再详说。

佛涅槃后数百年间，印度佛教也有“上座”“大众”诸部的分别。佛教从东汉传入我国，经过魏晋南北朝的隋唐，有了很大的发展。到了唐代，已先后形成十个主要的宗派。

（一）律宗。佛家“三学”为戒定慧，戒律以检束身口意“三业”为主，有大乘律和小乘律之分。唐代居住终南山的道宣律师所创立的律宗，称为“南山宗”。南山宗所立，是依《涅槃》《法华》等经义而释通小乘律，建立圆宗戒体的。它虽属小乘，而实能大乘。律是出家人应学的；对于在家人，也说有“五戒”“八戒”等修持法。这一宗盛于唐，北宋还有些人学习，南宋以后就失传。现在又有许多人在学习，将来能再兴盛也未可知。

（二）俱舍宗。它是依《俱舍论》而建立的。分析各种名相，非常精细，可以说是小乘“相宗”。它虽属小乘，但研究大乘相宗，要以它为入手，就是要学它宗，也宜以它为根底。切不可因其属小乘而轻视。这宗兴起于南朝陈时，盛行于唐，以后渐衰。

（三）成实宗。它是依《成实论》而建立的，也属小乘。它开始于姚秦时，至唐渐衰。所说“我空”“法空”的道理，虽然是小乘的，但与大乘“空宗”是有相通的。

（四）三论宗。是依《中论》《百论》《十二明门论》而建立的，同时依据《大般若经》。自此以下七宗，不限于修持自度，志在度世，超世间而又适应世间，所以都属大乘宗派。这一宗由姚秦时的鸠摩罗什提倡，是讲般若真空的道理，以破小乘和外道，亦名“空宗”和“性宗”。唐时经吉藏法师阐扬，学者亦众，以后渐衰。

（五）慈恩宗。亦名“唯识宗”和“法相宗”。依《解深密经》《瑜伽师地论》，由唐代玄奘法师编译《成唯识论》、他的弟子窥基（常住长安大慈恩寺，称慈恩大师）著《成唯识论述记》而建立起来的。唐时甚盛，以后即衰，并且有的唐人撰述失传。到最后三十年来，失传古籍，从海外请来，学者又多，重呈兴盛状况。关于这一宗，我认为是很重要的，无论学哪一宗，都要以它为根底。切勿因怕分析名相繁难而不去学习它。

（六）天台宗。这一宗是陈隋间居天台山的智者大师所建立的。它依《法华经》而立，又称“法华宗”。讲“一心三观（空假中）”“三谛（真俗中）圆融”等道理。此宗再经唐代湛然法师的宏扬，一直盛行不衰，到现在还有许多人在学习。

（七）贤首宗。依《华严经》而立，也称“华严宗”。它是唐代贤首大师（法藏）、清凉大师（澄观）等所宏扬、建立的。说“四法界”、“十玄门”等教理，广大圆融，称为“圆教”。这一宗在唐时甚盛，以后就衰。现在研究这一宗的人也少，很可惜。希望以后能多多地有人学习。

（八）禅宗。梁武帝时由达摩法师从印度传入。到唐五祖弘忍以后，分为南（慧能所传）、北（神秀所传）两宗；南宗独盛，以下再分许多小宗。此宗主修禅悟，不立文字，不拘常途教义，合于利根上智人学习，中下根的人常学不好，称为“教外别传”。唐宋时很盛，现在有点衰败的样子。

（九）密宗，这一宗所依《大日经》《金刚顶经》等，到唐朝才传入，所以也建立于唐朝，唐末即衰。唐时由日本僧人空海传入日本，依“秘密真言”立教，称“真言宗”，世号“东密”。以后印度密教和我国密宗，传入西藏，又发展成为“藏密”。我国内地密宗衰微时，“东密”“藏密”转盛。

（十）净土宗。依《无量寿经》《阿弥陀经》等建立。东晋慧远法师为初祖，唐代善导法师为创立人。慧远法师在庐山东林寺建“莲社”，此宗又称为“莲宗”。它劝导众生信奉念佛法门，发愿往生西方净土，修持的方法简易。

可以说是三根普被，无论利根上智或下根，都可以学习而得到利益的。在这末法时代，可以说是最合一般众生根器的法门，所以自晋唐至今，久盛不衰。

以上各宗，虽阐发的内容与程度的深浅有种种的不同，但都与佛法相契合，应当流传。后人可以就性之所近，选择学习，都有利益。这譬如药店里所卖的药，种类不同，都可以治病一样，不可嫌弃它药，更不能毁谤它宗。学习一宗，便毁谤它宗，不希望其流传，这是很错误的偏见，应该防止。

今天我到这里，看到贵校规模很大，诸位听讲很专心，非常欢喜！但讲得简略、粗浅，又很惭愧！如有错误，请各位指正原谅。

摘自《弘一大师法汇》

曾刊于 2000 年庐山诺那塔院创刊之《庐山佛教》

佛法大意

戊寅年六月十九日在漳州七宝寺讲

我至贵地，可谓奇巧因缘。本拟住半月返厦。因变，住此，得与诸君相晤，甚可喜。

先略说佛法大意。

佛法以大菩提心为主。菩提心者，即是利益众生之心。故信佛法者，须常抱积极之大悲心，发救济一切众生之大愿，努力作利益众生之种种慈善事业，乃不愧为佛教徒之名称。

若专修净土法门者，尤应先发大菩提心。否则他人谓佛法是消极的、厌世的、送死的。若发此心者，自无此误会。

至于作慈善事业，尤要。既为佛教徒，即应努力作利益社会之种种事业。乃能令他人了解佛教是救世的积极的，不起误会。

或疑经中常言“空”义，岂不与前说相反？

今案大菩提心，实具有“悲”“智”二义。“悲”者如前所说。“智”者不执着我相，故曰“空”也。即是以无我之伟大精神，而做种种之利生事业。

若解此意，而知常人执着我相而利益众生者，其能力薄、范围小、时不久、不彻底。若欲能力强、范围大、时间久、最彻底者，必须学习佛法，了解“悲”“智”之义，如是所作利生事业乃能十分圆满也。故知所谓“空”者，即是于常人所执着之我见，打破消灭，一扫而空。然后以无我之精神，努力切实作种种之事业。亦犹世间行事，先将不良之习惯等一一推翻，然后良好建设乃得实现也。

今能了解佛法之全系统及其真精神所在，则常人谓佛教是迷信、是消极者，固可因此而知其不当。即谓佛教为世界一切宗教中最高尚之宗教，或谓佛法为世界一切哲学中最玄妙之哲学者，亦未为尽理。

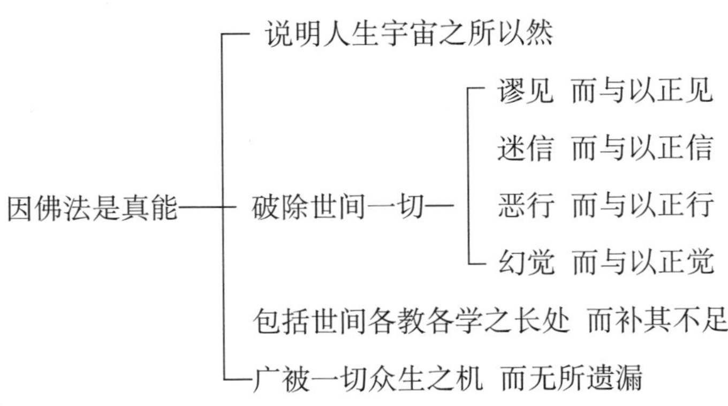

不仅中国，现今如欧美诸国人，正在热烈的研究及提倡。出版之佛教书籍及杂志等甚多。

故望已为佛教徒者，须彻底研究佛法之真理，而努力实行，俾不愧为佛教徒之名。其未信佛法者，亦宜虚心下气，尽力研究，然后于佛法再加以评论。此为余所希望者。

以上略说佛法大意毕。

又当地信士，因今日为菩萨诞，欲请解释“南无观世音菩萨”之义。兹以时间无多，唯略说之。

“南无”者，梵语，即“归依”义。

“菩萨”者，梵语，为“菩提萨埵”之省文。“菩提”者“觉”，“萨埵”者“众生”。因菩萨以智上求佛法，以悲下化众生，故称为“菩提萨埵”。此以悲、智二义解释，与前同也。

“观世音”者，为此菩萨之名。亦可以悲、智二义分释。如《楞严经》云：“由我观听十方圆明，故观音名，遍十方界。”约智言也。如《法华经》云：“苦恼众生一心称名，菩萨即时观其音声，皆得解脱，以是名观世音。”约悲言也。

1938年7月16日讲于漳州七宝寺

佛法十疑略释

戊寅十月六日在晋江安海金墩宗祠讲

欲挽救今日之世道人心，人皆知推崇佛法。但对于佛法而起之疑问，亦复不少。故学习佛法者，必先解释此种疑问，然后乃能着手学习。

以下所举十疑及解释，大半采取近人之说而叙述之，非是讲者之创论。所疑固不限此，今且举此十端耳。

一、佛法非迷信

近来知识分子，多批评佛法谓之“迷信”。

我辈详观各地寺庙，确有特别之习惯及通俗之仪式，又将神仙鬼怪等混入佛法之内，谓是佛法正宗。既有如此奇异之现象，也难怪他人谓佛法是“迷信”。

但佛法本来面目则不如此，绝无崇拜神仙鬼怪等事。其仪式庄严，规矩整齐，实超出他种宗教之上。又佛法能破除世间一切迷信而与以正信，岂有佛法即是迷信之理？

故知他人谓佛法为迷信者，实由误会。倘能详察，自不至有此批评。

二、佛法非宗教

或有人疑佛法为一种宗教。此说不然。

佛法与宗教不同，近人著作中常言之，兹不详述。应知佛法实不在宗教范围之内也。

三、佛法非哲学

或有人疑佛法为一种哲学。此说不然。

哲学之要求，在求真理，以其理智所推测而得之某种条件即谓为真理。其结果，有一元、二元、唯心、唯物种种之说。甲以为理在此，乙以为理在彼，纷纭扰攘，相非相谤。但彼等无论如何尽力推测，总不出于错觉一途。譬如盲人摸象，其生平未曾见象之形状，因其所摸得象之一部分，即谓是为象之全体。故或摸其尾便谓象如绳，或摸其背便谓象如床，或摸其胸便谓象如地。虽因所摸处不同而感觉互异，总而言之，皆是迷惑颠倒之见而已。

若佛法则不然。譬如明眼人能亲见全象，十分清楚，与前所谓盲人摸象者迥然不同。因佛法须亲证“真如”，了无所疑，绝不同哲学家之虚妄测度也。

何谓“真如”之意义？真真实实，平等一如，无妄情，无偏执，离于意想分别，即是哲学家所欲了知之宇宙万有之真相及本体也。夫哲学家欲发明宇宙万有之真象及本体，其志诚为可嘉。第太无方法，致罔废心力而终不能达到耳。

以上所说之佛法非宗教及哲学，仅略举其大概。若欲详知者，有南京支那内学院出版之《佛法非宗教非哲学》一卷，可自详研，即能洞明其奥义也。

四、佛法非违背于科学

常人以为佛法重玄想，科学重实验，遂谓佛法违背于科学。此说不然。

近代科学家持实验主义者，有两种意义：

（一）是根据眼前之经验，彼如何即还彼如何，毫不加以玄想。

（二）是防经验不足恃，即用人力改进，以补通常经验之不足。

佛家之态度亦尔，彼之“戒”“定”“慧”三无漏学，皆是改进通常之经验。但科学之改进经验重在客观之物件，佛法之改进经验重在主观之心识。如人患目病，不良于视，科学只知多方移置其物以求一辨，佛法则努力医治其眼以求复明。两者虽同为实验，但在治标治本上有不同耳。

关于佛法与科学之比较，若欲详知者，乞阅上海开明书店代售之《佛法与科学之比较研究》。著者王小徐，曾留学英国，在理工专科上迭有发见，为世界学者所推重。近以其研究理工之方法，创立新理论解释佛学，因著此书也。

五、佛法非厌世

常人见学佛法者，多居住山林之中，与世人罕有往来，遂疑佛法为消极的、厌世的。此说不然。

学佛法者，固不应迷恋尘世以贪求荣华富贵，但亦决非是冷淡之厌世者。因学佛法之人皆须发“大菩提心”，以一般人之苦乐为苦乐，抱热心救世之弘愿，不唯非消极，乃是积极中之积极者。虽居住山林中，亦非贪享山林之清福，乃是勤修“戒”“定”“慧”三学以预备将来出山救世之资具耳。与世俗青年学子在学校读书为将来任事之准备者，甚相似。

由是可知谓佛法为消极厌世者，实属误会。

六、佛法非不宜于国家之兴盛

近来爱国之青年，信仰佛法者少。彼等谓佛法传自印度，而印度因此衰亡，遂疑佛法与爱国之行动相妨碍。此说不然。

佛法实能辅助国家，令其兴盛，未尝与爱国之行动相妨碍。印度古代有最信仰佛法之国王，如阿育王、戒日王等，以信佛故而统一兴盛其国家。其后婆罗门等旧教复兴，佛法渐无势力，而印度国家乃随之衰亡，其明证也。

七、佛法非能灭种

常人见僧尼不婚不嫁，遂疑人人皆信佛法必致灭种。此说不然。

信佛法而出家者，乃为僧尼，此实极少之数。以外大多数之在家信佛法者，仍可婚嫁如常。佛法中之僧尼，与他教之牧师相似，非是信徒皆应为牧师也。

八、佛法非废弃慈善事业

常人见僧尼唯知弘扬佛法，而于建立大规模之学校、医院、善堂等利益社会之事未能努力，遂疑学佛法者废弃慈善事业。此说不然。

依佛经所载，布施有二种：一曰财施，二曰法施。出家之佛徒，以法施为主，故应多致力于弘扬佛法，而以余力提倡他种慈善事业。若在家之佛徒，则财施与法施并重，故在家居士多努力作种种慈善事业。近年以来各地所发起建立之佛教学校、慈儿院、医院、善堂，修桥、造凉亭，乃至施米、施衣、施钱、施棺等事，皆时有所闻，但不如他教仗外国慈善家之财力所经营者规模阔大耳。

九、佛法非是分利

近今经济学者，谓人人能生利，则人类生活发达，乃可共享幸福。因专注重于生利，遂疑信仰佛法者，唯是分利而不生利，殊有害于人类。此说亦不免误会。

若在家人信仰佛法者，不碍于职业，士农工商皆可为之。此理易明，可毋庸议。若出家之僧尼，常人观之，似为极端分利而不生利之寄生虫。但僧尼亦何尝无事业，僧尼之事业即是弘法利生。倘能教化世人，增上道德，其间接直接有真实大利益于人群者正无量矣。

十、佛法非说空以灭人世

常人因佛经中说“五蕴皆空”、“无常苦空”等，因疑佛法只一味说空。若信佛法者多，将来人世必因之而消灭。此说不然。

大乘佛法，皆说“空”及“不空”两方面。虽有专说“空”时，其实亦含有“不空”之义。故须兼说“空”与“不空”两方面，其义乃为完足。

何谓“空”及“不空”？“空”者是无我，“不空”者是救世之事业。虽知无我，而能努力作救世之事业，故空而不空。虽努力作救世之事业，而决不执着有我，故不空而空。如是真实了解，乃能以无我之伟大精神，而作种种之事业无有障碍也。

又若能解此义，即知常人执着我相而作种种救世事业者，其能力薄、范围小、时间促、不彻底。若欲能力强、范围大、时间久、最彻底者，必须于佛法之“空”义十分了解，如是所做救世事业乃能圆满成就也。

故知所谓“空”者，即是于常人所执着之我见打破消灭，一扫而空。然后以无我之精神，努力切实作种种之事业。亦犹世间行事，先将不良之习惯等一一推翻，然后良好之建设乃得实现。

信能如此，若云牺牲，必定真能牺牲；若云救世，必定真能救世。由是坚坚实实，勇猛精进而作去，乃可谓伟大，乃可谓彻底。

所以真正之佛法，先须向“空”上立脚，而再向“不空”上作去。岂是一味说空而消灭人世耶！

以上所说之十疑及释义，多是采取近人之说而叙述其大意。诸君闻此，应可免除种种之误会。

若佛法中之真义，至为繁广，今未能详说。唯冀诸君从此以后，发心研究佛法，请购佛书，随时阅览，久之自可洞明其义。是为余所厚望焉。

1938 年 11 月 27 日讲于福建安海金墩宗祠

佛法宗派大概

戊寅十月七日在（晋江）安海金墩宗祠讲

关于佛法之种种疑问，前已略加解释。诸君既无所疑惑，思欲着手学习，必须先了解佛法之各种宗派乃可。

原来佛法之目的，是求觉悟，本无种种差别。但欲求达到觉悟之目的地以前，必有许多途径。而在此途径上，自不妨有种种宗派之不同也。

佛法在印度古代时，小乘有各种部执，大乘虽亦分“空”“有”二派，但未别立许多门户。吾国自东汉以后，除将印度所传来之佛法精神完全承受外，并加以融化光大，于中华民族文化之伟大悠远基础上，更开展中国佛法之许多特色。至隋唐时，便渐成就大小乘各宗分立之势。今且举十宗而略述之。

一、律宗（又名南山宗）

唐终南山道宣律师所立。依《法华》《涅槃》经义，而释通小乘律，立圆宗戒体。正属出家人所学，亦明在家五戒、八戒义。

唐时盛，南宋后衰，今渐兴。

二、俱舍宗

依《俱舍论》而立。分别小乘名相甚精，为小乘之相宗。欲学大乘法相宗者固应先学此论，即学他宗者亦应以此为根柢，不可以其为小乘而轻忽之也。

陈、隋、唐时盛弘，后衰。

三、成实宗

依《成实论》而立。为小乘之空宗，微似大乘。

六朝时盛，后衰，唐以后殆罕有学者。

以上二宗，即依二部论典而形成，并由印度传至中土。虽号称宗，然实不过二部论典之传持授受而已。

以上二宗属小乘，以下七宗皆是大乘，律宗则介于大小之间。

四、三论宗（又名性宗 空宗）

三论者，即《中论》《百论》《十二门论》，是三部论皆依《般若经》而造。姚秦时，龟兹国鸠摩罗什三藏法师来此土弘传。

唐初犹盛，以后衰。

五、法相宗（又名慈恩宗 有宗）

此宗所依之经论，为《解深密经》《瑜伽师地论》等。唐玄奘法师盛弘此宗。又糅合印度十大论师所著之《唯识三十颂之解释》而编纂《成唯识论》十卷，为此宗著名之典籍。此宗最要，无论学何宗者皆应先学此以为根柢也。

唐中叶后衰微，近复兴，学者甚盛。

以上二宗印度古代有之，即所谓“空”“有”二派也。

六、天台宗（又名法华宗）

六朝时此土所立，以《法华经》为正依。至隋智者大师时极盛。其教义，较前二宗为玄妙。

隋唐时盛，至今不衰。

七、华严宗（又名贤首宗）

唐初此土所立，以《华严经》为依。至唐贤首国师时而盛，至清凉国师时而大备。此宗最为广博，在一切经法中称为教海。

宋以后衰，今殆罕有学者，至可惜也。

八、禅宗

梁武帝时，由印度达摩尊者传至此土。斯宗虽不立文字，直明实相之理体，而有时却假用文字上之教化方便，以弘教法。如《金刚》《楞伽》二经，即是此宗常所依用者也。

唐宋时甚盛，今衰。

九、密宗（又名真言宗）

唐玄宗时，由印度善无畏三藏、金刚智三藏先后传入此土。斯宗以《大日经》《金刚顶经》《苏悉地经》三部为正所依。

元后即衰，近年再兴，甚盛。

在大乘各宗中，此宗之教法最为高深，修持最为真切。常人未尝穷研，辄轻肆毁谤，至堪痛叹。余于十数年前，唯阅《密宗仪轨》，亦尝轻致疑议。以后阅《大日经疏》，乃知密宗教义之高深，因痛自忏悔。愿诸君不可先阅仪轨，应先习经教，则可无诸疑惑矣。

十、净土宗

始于晋慧远大师，依《无量寿经》《观无量寿佛经》《阿弥陀经》而立。三根普被，甚为简易，极契末法时机。

明季时此宗大盛。至于近世尤为兴盛，超出各宗之上。

以上略说十宗大概已竟。大半是摘取近人之说以叙述之。

就此十宗中，有小乘大乘之别。而大乘之中，复有种种不同。吾人于此，万不可固执成见，而妄生分别。因佛法本来平等无二，无有可说，即佛法之名称亦不可得。于不可得之中而建立种种差别佛法者，乃是随顺世间众生以方便建立。因众生习染有浅深，觉悟有先后。而佛法亦依之有种种差别，以适应之。譬如世间患病者，其病症千差万别，须有多种药品以适应之，其价值亦低昂不等。不得仅尊其贵价者，而废其他廉价者。所谓药无贵贱，愈病者良。佛法亦尔，无论大小权实渐顿显密，能契机者，即是无上妙法也。故法门虽多，吾人宜各择其与自己根基相契合者而研习之，斯为善矣。

1938年11月28日讲于福建安海金墩宗祠

佛法学习初步

戊寅十月八日在晋江安海金墩宗祠讲

佛法宗派大概，前已略说。

或谓高深教义，难解难行，非利根上智不能承受。若我辈常人欲学习佛法者，未知有何法门，能使人人易解，人人易行，毫无困难，速获实益耶？

案佛法宽广，有浅有深。故古代诸师，皆判“教相”以区别之。依唐圭峰禅师所撰《华严原人论》中判立五教：

一 人天教

二 小乘教

三 大乘法相教

四 大乘破相教

五 一乘显性教

以此五教，分别浅深。若我辈常人易解易行者，唯有“人天教”也。其他四教，义理高深，甚难了解。即能了解，亦难实行。故欲普及社会，又可补助世法，以挽救世道人心，应以“人天教”最为合宜也。

人天教由何而立耶？

常人醉生梦死，谓富贵贫贱吉凶祸福皆由命定，不解因果报应。或有解因果报应者，亦唯知今生之现报而已。若如是者，现生有恶人富而善人贫，恶人寿而善人夭，恶人多子孙而善人绝嗣，是何故欤？因是佛为此辈人，说三世业报、善恶因果，即是人天教也。今就三世业报及善恶因果分为二章详述之。

一、三世业报 三世业报者，现报、生报、后报也。

（一）现报　今生作善恶，今生受报。

（二）生报　今生作善恶，次一生受报。

（三）后报　今生作善恶，次二、三生乃至未来多生受报。

由是而观，则恶人富、善人贫等，决不足怪。吾人唯应力行善业，即使今生不获良好之果报，来生、再来生等必能得之。万勿因行善而反遇逆境，遂妄谓行善无有果报也。

二、善恶因果 善恶因果者，恶业、善业、不动业，此三者是其因；果报有六，即六道也。恶业善业，其数甚多，约而言之，各有十种，如下所述。不动业者，即修习上品十善，复能深修禅定也。

今以三因六果列表如下：

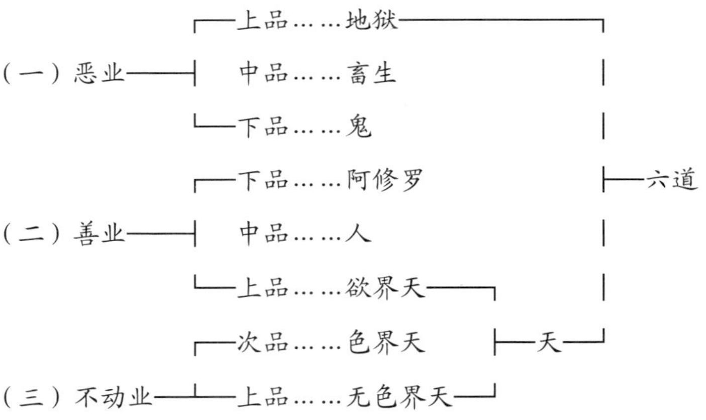

今复举恶业善业别述如下。恶业有十种：

（一）杀生　（二）偷盗

（三）邪淫　（四）妄言

（五）两舌　（六）恶口

（七）绮语　（八）悭贪

（九）瞋恚　（十）邪见

造恶业者，因其造业重轻，而堕地狱、畜生、鬼道之中。

受报既尽，幸生人中，犹有余报。今依《华严经》所载者，录之如下。若诸《论》中，尚列外境多种，今不别录。

（一）杀生………短命　多病

（二）偷盗………贫穷　其财不得自在

（三）邪淫………妻不贞良　不得随意眷属

（四）妄言………多被诽谤　为他所诳

（五）两舌………眷属乖离　亲族弊恶

（六）恶口………常闻恶声　言多诤讼

（七）绮语………言无人受　语不明了

（八）悭贪………心不知足　多欲无厌

（九）瞋恚………常被他人求其长短　恒被于他之所恼害

（十）邪见………生邪见家　其心谄曲

善业有十种。下列“不杀生”等，止恶即名为善。复依此而起十种行善，即“救护生命”等也。

（一）不杀生　救护生命

（二）不偷盗　给施资财

（三）不邪淫　遵修梵行

（四）不妄言　说诚实言

（五）不两舌　和合彼此

（六）不恶口　善言安慰

（七）不绮语　作利益语

（八）不悭贪　常怀舍心

（九）不瞋恚　恒生慈悯

（十）不邪见　正信因果

造善业者，因其造业轻重，而生于阿修罗、人道、欲界天中。所感之余报，与上所列恶业之余报相反。如不杀生则长寿无病等，类推可知。

由是观之，吾人欲得诸事顺遂、身心安乐之果报者，应先力修善业，以种善因。若唯一心求好果报，而决不肯种少许善因，是为大误。譬如农夫，欲得米谷，而不种田，人皆知其为愚也。

故吾人欲诸事顺遂、身心安乐者，须努力培植善因。将来或迟或早，必得良好之果报。古人云：“祸福无不自己求之者。”即是此意也。

以上所说，乃人天教之大义。

唯修人天教者，虽较易行，然报限人天，非是出世。

故古今诸大善知识，尽力提倡“净土法门”，即前所说之《佛法宗派大概》中之“净土宗”。令无论习何教者，皆兼学此“净土法门”，即能获得最大之利益。“净土法门”虽随宜判为“一乘圆教”，但深者见深，浅者见浅，即唯修人天教者亦可兼学，所谓“三根普被”也。

在此讲说三日已竟。以此功德，唯愿世界安宁，众生欢乐，佛日增辉，法轮常转。

1938 年 11 月 29 日讲于福建安海金墩宗祠

佛教之简易修持法

己卯二月廿七日在永春桃源殿讲

李芳远记录

我到永春的因缘，最初发起，在三年之前。性愿老法师常常劝我到此地来，又常提起普济寺是如何如何的好。

两年以前的春天，我在南普陀讲律圆满以后，妙慧师便到厦门请我到此地来。那时因为学律的人要随行的太多，而普济寺中设备未广，不能够收容，不得已而中止。是为第一次欲来未果。

是年的冬天，有位善兴师，他持着永春诸善友一张请帖，到厦门万石岩去，要接我来永春。那时因为已先应了泉州草庵之请，故不能来永春。是为第二次欲来未果。

去年的冬天，妙慧师再到草庵来接。本想随请前来，不意过泉州时，又承诸善友挽留，不得已而延期至今春。是为第三次欲来未果。

直至今年半个月以前，妙慧师又到泉州劝请，是为第四次。因大众既然有如此的盛意，故不得不来。其时在泉州各地讲经，很是忙碌，因此又延搁了半个多月。今得来到贵处，和诸位善友相见，我心中非常的欢喜。自三年前就想到此地来，屡次受了事情所阻，现在得来，满其多年的夙愿，更可说是十分的欢喜了。

今天承诸位善友请我演讲，我以为谈玄说妙，虽然极为高尚，但于现在行持终觉了不相涉。所以今天我所讲的，且就常人现在即能实行的，约略说之。

因为专尚谈玄说妙，譬如那饥饿的人，来研究食谱，虽山珍海馔之名，纵横满纸，如何能够充饥？倒不如现在得到几种普通的食品，即可入口。得充一饱，才于实事有济。以下所讲的分为三段。

一、深信因果

因果之法，虽为佛法入门的初步，但是非常的重要，无论何人皆须深信。何谓因果？“因”者好比种子，下在田中，将来可以长成为果实。“果”者譬如果实，自种子发芽，渐渐地开花结果。

我们一生所作所为，有善有恶，将来报应不出下列：

桃李种　长成为桃李——作善报善

荆棘种　长成为荆棘——作恶报恶

所以我们要避凶得吉，消灾得福，必须要厚植善因，努力改过迁善，将来才能够获得吉祥福德之好果。如果常作恶因，而要想免除凶祸灾难，哪里能够得到呢？

所以第一要劝大众深信因果，了知善恶报应，一丝一毫也不会差的。

二、发菩提心

“菩提”二字是印度的梵语，翻译为“觉”，也就是成佛的意思。“发”者，是发起。故发菩提心者，便是发起成佛的心。为什么要成佛呢？为利益一切众生。须如何修持乃能成佛呢？须广修一切善行。以上所说的，要广修一切善行，利益一切众生，但须如何才能够彻底呢？须不着我相。所以发菩提心的人，应发以下之三种心：

（一）大智心　不着我相　此心虽非凡夫所能发

亦应随分观察。

（二）大愿心　广修善行

（三）大悲心　救众生苦

又发菩提心者，须发以下所记之四弘誓愿：

（一）众生无边誓愿度

菩提心以大悲为体，所以先说度生。

（二）烦恼无尽誓愿断　愿一切众生皆能断无尽之烦恼。

（三）法门无量誓愿学　愿一切众生皆能学无量之法门。

（四）佛道无上誓愿成　愿一切众生皆能成无上之佛道。

或疑“烦恼”以下之三愿，皆为我而发，如何说是“愿一切众生”？这里有两种解释：一就浅来说，我也就是众生中的一人，现在所说的众生，我也在其内。再进一步言，真发菩提心的，必须彻悟法性平等，决不见我与众生有什么差别，如是才能够真实和菩提心相应。所以现在发愿，说“愿一切众生”，有何妨耶！

三、专修净土

既然已经发了菩提心，就应该努力地修持。但是佛所说的法门很多，深浅难易，种种不同。若修持的法门与根器不相契合的，用力多而收效少。倘与根器相契合的，用力少而收效多。在这末法之时，大多数众生的根器，和哪一种法门最相契合呢？说起来只有净土宗。因为泛泛修其他法门的，在这五浊恶世，无佛应现之时，很是困难。若果专修净土法门，则依佛大慈大悲之力，往生极乐世界，见佛闻法，速证菩提，比较容易得多。所以龙树菩萨曾说，前为难行道，后为易行道，前如陆路步行，后如水道乘船。

关于净土法门的书籍，可以首先阅览者，《初机净业指南》《印光法师嘉言录》《印光大师文钞》等。依此就可略知净土法门的门径。

近几个月以来，我在泉州各地方讲经，身体和精神都非常的疲劳。这次到贵处来，匆促演讲，不及预备，所以讲说的未能详尽。希望大众原谅。

1939 年 4 月 16 日讲于永春桃源殿

为性常法师掩关笔示法则

古人掩关皆为专修禅定或念佛，若研究三藏则不限定掩关也。仁者此次掩关，实为难得之机会。应于每日时间，以三分之二专念佛诵经或默阅但不可生分别心，以三分之一时间温习戒本羯磨及习世间文字。因机会难可再得，不于此时专心念佛，以后恐无此胜缘。至于研究等事，在掩关时虽无甚成绩，将来出关后，尽可缓缓研究也。念佛一事，万不可看得容易，平日学教之人，若令息心念佛，实第一困难之事，但亦不得不勉强而行也。此事至要至要，万不可轻忽。诵经之事可以如常。又每日须拜佛若干拜，既有功德，亦可运动身体也。念佛时亦宜数数经行，因关中运动太少，食物不易消化，故宜礼拜经行也。念佛之事，一人甚难行，宜与义俊法师协定课程，二人同时行之，可以互相策励，不致懈怠中止也。

课程大致如下：

早粥前念佛，出声或默念随意。

早粥后稍休息。礼佛诵经。九时至十一时研究。午饭后休息。二时至四时研究。研究时间每日以四小时为限，不可多。四时半起礼佛诵经。黄昏后专念佛。晚间可以不点灯，唯佛前供琉璃灯可耳。

三年之中，可与义俊法师讲戒本及表记羯磨六遍。每半年讲一遍。自己既能温习，亦能令他人得益。昔南山律祖，尚听律十二遍未尝厌倦，何况吾等钝根之人耶？戒本羯磨能十分明了，且记忆不忘，将来出关之后，再学行事钞等非难事矣。世俗文字略学四书及历史等。学生字典宜学全部，但若鲜暇，不妨缺略，因此等事，出关之后仍可学习也。若念佛等，出关之后，恐难继续，唯在关中，能专心也。又在闭关时宜注意者如下。

不可闲谈　不晤客人　不通信

（有十分要事写一纸条交与护关者）

凡一切事，尽可俟出关后再料理也，时机难得，光阴可贵，念之！念之！

余既无道德，又乏学问。今见仁者以诚恳之意，谆谆请求，故略据拙见拉杂书此，以备采择。

性常关主慧

乙亥四月一日 演音书印

1935 年 5 月 3 日 作于泉州开元寺

持非时食戒者应注意日中之时

比丘戒中有非时食戒，八关斋戒中亦有之。日中以后即不可食。又依《僧祇律》，日正中时，名曰时非时，若食亦得轻罪。故知进食必在日中以前也。

日中之时，俗称曰正午。常人每月日晷仪置于日光之下，俟日晷仪标影恰至正午，即谓是为日中之时。因即校正钟表，以此时为十二点钟也。然以此方法常常核对，则发见可怀疑者二事。一者，虽自置极精良正确之钟表，常尽力与日晷仪核对，其正午之时每与日晷仪参差少许，不能符合。二者，各都市城邑之标准时钟，如上海江海关、大自鸣钟等，其正午之时，亦每见其或迟或早，茫无一定也。今说明其理由如下：

依近代天文学者言，普通纪日之法皆用太阳，而地球轨道原非平圆，故日之视行有盈缩，而太阳日之长短亦因是参差不齐。泰西历家以其不便于用，爰假设一太阳，即用真太阳之平均视行为视行，称之曰平太阳。平太阳中天时谓之平午。校对钟表者即依此时为十二点钟。若真太阳中天时，则谓之视午。就平午与视午相合或相差者大约言之，每年之中，惟有四天平午与视午大致相合，余均有差。相差最多者，平午比视午或早十五分或迟十六分。其每日相差之详细分秒，皆载在吾国教育部中央观象台所颁发之历书中。

若能了解以上之义，于昔所怀疑者自能法释。因钟表每日有固定同一之迟速，决不允许参差，而真太阳日之长短，则参差不齐。故不能以真太阳之视午而校正钟表，恒定是为十二点钟也。其各都市城邑之标准时钟皆据平午，以教育部历书核对即可了然。

吾人持非时食戒者，当依真太阳之视午而定日中食时之标准，决不可误据平午而过时也，至于如何校正钟表可各任自意。或依平午者，宜购求教育部历书核对，即可知每日视午之时。若如是者，倘自置精良正确之钟表，则可不必常常校对拨动。否则仍依旧法，以日晷仪之正午而校正钟表，恒定是为十二点钟，此亦无妨。但须常常核对日晷仪，常常拨动钟表时针。因如前所说真太阳日之长短参差不齐，未能如钟表每日有固定同一之迟速也。又近代天文学者以种种之理由，而斥日晷仪所测得者未能十分正确。此说固是，但其差舛甚微，无足计也。

1941 年夏 作于晋江福林寺

余弘律之因缘

初出家时即读梵网合注。续读灵峰宗论乃发起学律之愿。

受戒时随时参读传戒正范及毗尼事义集要。

庚申之春自日本请得古版南山灵芝三大部计八十余册。

辛酉之春，始编戒相表记。

六月，第一次草稿乃讫。以后屡经修改，手抄数次。

是年阅藏，得见义净三藏所译有部律及南海寄归内法传，深为赞叹。谓较旧律为善故四分律戒相表记，第一二次草稿中屡引义净之说以纠正南山。其后自悟轻谤古德有所未可，遂涂抹之。经多次删改，乃成最后之定本。以后虽未敢谤毁南山，但于南山三大部仍未用心穷研；故印专习有部律。二年之中编有部犯相摘记一卷，自行抄一卷。

其时徐霨如居士创刻经处于天津，专刻南山宗律书，费资数万金，历时十余年。

律学要略

乙亥十一月在泉州承天寺戒期法会中 万泉记录

我出家以来，在江浙一带并不敢随便讲经或讲律，更不敢赴什么传戒的道场，其缘故是因个人感觉着学力不足。三年来在闽南虽曾讲过些东西，自心总觉非常惭愧的。这次本寺诸位长者再三地唤我来参加戒期胜会，情不可却，故今天来与诸位谈谈，但因时间匆促，未能预备，参考书又缺少，兼以个人精神衰弱，拟在此共讲三天。今天先专为求授比丘戒者讲些律宗历史，他人旁听，虽不能解，亦是种植善根之事。

为比丘者应先了知戒律传入此土之因缘，及此土古今律宗盛衰之大概。由东汉至曹魏之初，僧人无归戒之举，惟剃发而已。魏嘉平年中，天竺僧人法时到中土，乃立羯磨受法，是为戒律之始。当是时可算是真实传授比丘戒的开始，渐渐达至繁盛时期。

大部之广律，最初传来的是《十诵律》，翻译斯部律者，系姚秦时的鸠摩罗什法师，庐山净宗初祖远公法师亦竭力劝请赞扬。六朝时此律最盛于南方。其次翻译的是《四分律》，时期和《十诵律》相去不远，但迟至隋朝乃有人弘扬提倡，至唐初乃大盛。第三部是《僧律》，东晋时翻译的，六朝时北方稍有弘扬者。刘宋时继《僧律》后，有《五分律》，翻译斯律之人，即是译六十卷《华严经》者，文精而简，道宣律师甚赞，可惜罕有人弘扬。至其后有《有部律》，乃唐武则天时义净法师的译著，即是西藏一带最通行的律。当初义净法师在印度有二十余年的历史，博学强记，贯通律学精微，非至印度之其他僧人所能及，实空前绝后的中国大律师。义净回国，翻译终毕，他年亦老了，不久即圆寂，以后无有人弘扬，可惜！可惜！此外诸部律论甚多，不遑枚举。

关于《有部律》，我个人起初见之甚喜，研究多年；以后因朋友劝告即改研《南山律》，其原因是《南山律》依《四分律》而成，又稍有变化，能适合吾国僧众之根器故。现在我即专就《四分律》之历史大略说些。

唐代是《四分律》最盛时期，以前所弘扬的是《十诵律》，《四分律》少人弘扬；至唐初《四分律》学者乃盛，共有三大派：一《相部律》，依法砺律师为主；二《南山律》，以道宣律师为主；三《东塔律》，依怀素律师为主。法砺律师在道宣之前，道宣曾就学于他。怀素律师在道宣之后，亦曾亲近法砺道宣二律师。斯律虽有三大派之分，最盛行于世的可算《南山律》了。南山律师著作浩如烟海，其中《行事钞》最负盛名，是时任何宗派之学者皆须研行事钞；自唐至宋，解者六十余家，惟灵芝元照律师最胜，元照律师尚有许多其他经律的注释。元照后，律学渐渐趋于消沉，罕有人发心弘扬。

南宋后禅宗益盛，律学更无人过问，所有唐宋诸家的律学撰述数千卷悉皆散失；迨至清初，惟存《南山随机羯磨》一卷，如是观之，大足令人兴叹不已！明末清初有益、见月诸大师等欲重兴律宗，但最可憾者，是唐宋古书不得见。当时益大师著述有《毗尼事义集要》，初讲时人数已不多，以后更少；结果成绩颓然。见月律师弘律颇有成绩，撰述甚多，有解《随机羯磨》者，毗尼作持，与南山颇有不同之处，因不得见南山著作故！此外尚有最负盛名的《传戒正范》一部，从明末至今，传戒之书独此一部，传戒尚存之一线曙光，惟赖此书；虽与南山之作未能尽合，然其功甚大，不可轻视；但近代受戒仪轨，又依此稍有增减，亦不是见月律师传戒正范之本来面目了。

南宋至清七百余年，关于唐宋诸家律学撰述，可谓无存；清光绪末年乃自日本请还唐宋诸家律书之一部分，近十余年间，在天津已刊者数百卷。此外续藏经中所收尚未另刊者，犹有数百卷。

今后倘有人发心专力研习弘扬，可以恢复唐代之古风，凡益、见月等所欲求见者今悉俱在；我们生此时候，实比益、见月诸大师幸福多多。

但学律非是容易的事情，我虽然学律近二十年，仅可谓为学律之预备，窥见了少许之门径；再预备数年，乃可着手研究，以后至少须研究二十年，乃可稍有成绩。奈我现在老了，恐不能久住世间，很盼望你们有人能发心专学戒律，继我所未竟之志，则至善矣。

我们应知道：现在所流通之传戒正范，非是完美之书，何况更随便增减，所以必须今后恢复古法乃可；此皆你们的责任，我甚希望大家共同勉励进行！

今天续讲三皈、五戒，乃至菩萨戒之要略。

三皈、五戒、八戒、沙弥沙弥尼戒、式叉摩那戒、比丘比丘尼戒、菩萨戒等，就普通说，菩萨戒为大乘，余皆小乘，但亦未必尽然，应依受者发心如何而定。我近来研究南山律，内中有云："无论受何戒法，皆要先发大乘心。"由此看来，哪有一种戒法专名为小乘的呢！再就受戒方法论如：三皈、五戒、沙弥沙弥尼戒，皆用三皈依受；至于比丘比丘尼戒、菩萨戒，则须依羯磨文受；又如式叉摩那，则是作羯磨与学戒法，不是另外得戒，与上不同。再依在家出家分之：就普通说，在家如三皈、五戒、八戒等，出家如沙弥比丘等，实而言之，三皈、五戒、八戒，皆通在家出家。诸位听着这话，或当怀疑，今我以例证之，如明灵峰益大师，他初亦受比丘戒，后但退作三皈人，如是言之，只有三皈亦可算出家人。

又若单五戒亦可算出家人，因剃发以后，必先受五戒，后再受沙弥戒，未受沙弥戒前，止是五戒之出家人。故五戒通于在家出家，有在家优婆塞、出家优婆塞之别；

例如：明益大师之大弟子成时、性旦二师，皆自称为出家优婆塞。成时大师为编辑《净土十要》及《灵峰宗论》者，性旦大师为记录弥陀要解者，皆是明末的高僧。

八戒何为亦通在家出家？

《药师经》中说比丘亦可受八戒，比丘再受八戒为欲增上功德故。这样看起来，八戒亦通于僧俗。以上略判竟。

以下一一分别说之 ：

三皈不属于戒，仅名三皈。三皈者：皈依佛，皈依法，皈依僧。未受以前必须要了解三皈道理，并非糊里糊涂地盲从瞎说，如这样子皆不得三皈。

所谓三宝有四种之别，一理体三宝，二化相三宝，三住持三宝，四一体三宝。尽讲起来很深奥复杂，现在且专就住持三宝来说。三宝意义是什么？佛，法，僧。所谓佛即形像，如释迦佛像、药师佛像、弥陀佛像等；法即佛所说之经，如《法华经》《楞严经》等，皆佛金口所流露出来之法；僧即出家剃发受戒有威仪之人。以上所说佛、法、僧道理，可谓最浅近，诸位谅皆能明了吧。

皈依即回转的意义，因前背舍三宝，而今转向三宝，故谓之皈依。但无论出家在家之人，若受三皈时，最重要点有二：第一要注意皈依三宝是何意义？第二当受三皈时，师父所说应当十分明白，或师父所讲的话，全是文言不能了解，如是决不能得三皈；或隔离太远，听不明白亦不得三皈；或虽能听到大致了解，其中尚有一二怀疑处，亦不得三皈。又正授之时，即是“皈依佛”“皈依法”“皈依僧”三说，此最要紧，应十分注意；以后之“皈依佛竟”“皈依法竟”“皈依僧竟”，是名三结，无关紧要；所以诸位发心受戒，应先了知三皈意义，又当正授时，要在先“皈依佛”等三语注意，乃可得三皈。以上三皈说已。

下说五戒：

五戒就五戒言，亦要请师先为说明。五戒者杀，盗，淫，妄，酒。当师父说明五戒意义时，切要用白话，浅近明了，使人易懂。受戒者听毕，应先自思量如是诸戒能持否，若不能全持，或一，或二，或三，或四，皆可随意；宁可不受，万不可受而不持！且就杀生而论，未受戒者，犯之本应有罪，若已受不杀戒者犯之，则罪更加重一倍，可怕不可怕呢！你们试想一想，如果不能受持，勉强敷衍，实是自寻烦恼！据我思之：五戒中最容易持的，是：不邪淫，不饮酒；诸位可先受这两条最为稳当；至于杀与妄语，有大小之分，大者虽不易犯，小者实为难持；又五戒中最为难持的莫如盗戒，非于盗戒戒相研究十分明了之后，万不可率尔而受。所以我盼望诸位对于盗戒一条缓缓再说，至要！至要！但以现在传戒情形看起来，在这许多人众集合场中，实际上是不能如上一一别受；我想现在受五戒时，不妨合众总受五戒，俟受戒后，再自己斟酌取舍，亦未为不可；于自己所不能奉持的数条，可以在引礼师前或俗人前舍去，这样办法，实在十分妥当，在授者减麻烦，诸位亦可免除烦恼。另外还有一句要紧的话，倘有人怀疑于此大众混杂扰乱之时，心中不能专一注想，或恐犹未得戒者，不妨请性愿老法师或其他善知识，再为重授一次，他们当即慈悲允许。要注意三皈五戒；当受五戒，应知于前说三皈正得戒体，最宜注意；后说五戒戒相为附属之文，不是在此时得戒。又须请师先为说明五戒之广狭，例如：饮酒一戒，不惟不饮泉州酒店之酒，凡尽法界虚空界之戒缘境酒，皆不可饮。杀，盗，淫，妄，亦复如是。所以受戒功德普遍法界，实非人力所能思议。

宝华山见月律师所编三皈五戒正范，所有开示多用骈体文，闻者万不能了解，等于虚文而已；最好请师译成白话。此外我更附带言之：近有为人授五戒者于不饮酒后加不吸烟一句，但这不吸烟可不必加入；应另外劝告，不应加入五戒文中。以上说五戒毕。

以下讲八戒：

八戒具云八关斋戒。“关”者禁闭非逸，关闭所有一切非善事。“斋”是清的意思，绝诸一切杂想事。八关斋戒本有九条，因其中第七条包含两条，故合计为八条。前五与五戒同，后三条是另加的。后加三者，即第六，华香璎珞香油涂身，这是印度美丽装饰之风俗，我国只有花香，并无璎珞等；但所谓香如吾国香粉、香水、香牙粉、香牙膏及香皂等，皆不可用。

第七，高胜床上坐，作倡伎乐故往观听。这就是两条合为一条的；现略为分析“高”是依佛制度，坐卧之床脚，最高不能超过一尺六寸；“胜”是指金银牙角等之装饰，此皆不可。但在他处不得已的时候，暂坐可开：佛制是专为自制的须结正罪，如别人已作成功的不是自制的，罪稍轻。作倡伎乐故往观听，音乐影戏等皆属此条；所谓故往观听之“故”字要注意，于无意中偶然听到或看见的不犯。以上高胜床上坐，作倡伎乐故往观听，共合为一条。受八关斋戒的人，皆不可为。

第八，非时食。佛制受八关斋戒后，自黎明至正午可食，倘越时而食，即叫做非时食。即平常所说的“过午不食”。但正午后，不单是饭等不可食，如牛奶水果等均不可用。如病重者，于不得已中，可在大家看不到地方开食粥等。

受八关斋戒，普通于六斋日受；六斋日者，即：初八，十四，十五，廿三，及月底最后二日；倘能发心日日受，那是最好不过了。受时要在每天晨起时，期限以一日一夜——天亮时至夜，夜至明早。——受八关斋戒后，过午不食一条，应从今天正午后至明日黎明时皆不可食。又八戒与菩萨戒比较别的戒有区别；因为八戒与菩萨戒，是顿立之戒。但上说的菩萨戒，是仅就梵网璎珞等而说的；若依瑜伽戒本，则属于渐次之戒。这是什么缘故呢？未受五戒、沙弥戒、比丘戒，皆可即受菩萨戒或八戒，故曰顿立；若渐次之戒，必依次第，如先五戒，次沙弥戒，次比丘戒，层层上去的。以上所说八关斋戒，外江居士受的非常之多；我想闽南一带，将来亦应当提倡提倡！若嫌每月六日太多，可减至一日或两日亦无不可；因仅受一日，即有极大功德，何况六日全受呢！

沙弥戒：沙弥戒诸位已知道了吧？此乃正戒，共十条。其中九条同八戒，另加手不捉钱宝一条，合而为十。但手不捉钱宝一条，平常人不明白，听了皆怕；不知此不捉钱宝是易持之戒，律中有方便办法，叫做“说净”，经过说净的仪式后，亦可照常自己捉持。最为繁难者，是正戒十条外于比丘戒亦应学习，犯者结罪。我初出家时不晓得，后来学律才知道。这样看起来，持沙弥戒亦是不容易的一回事。

沙弥尼戒即女众，法戒与沙弥同。

式叉摩那戒：梵语式叉摩那，此云学法女；外江各丛林，皆谓在家贞女为式叉摩那，这是错误的。闽南这边，那年开元寺传戒时，对于贞女不称式叉摩那，只用贞女之名，这是很通；平常人多不解何者为式叉摩那，我现在略为解释一下：哪一种人可以受式叉摩那戒呢？要已受沙弥尼戒的人于十八岁时，受式叉摩那法，学习二年，然后再受比丘尼戒；因为佛制二十岁乃可受戒，于十八岁时，再学二年正当二十岁。于二年学习时，僧作羯磨，与学戒法；二年学毕乃可受比丘尼戒；但式叉摩那要学三法：一学根本法，——即四重戒。二学六法，——染心相触，盗减五钱，断畜命，小妄语，非时食，饮酒。三学行法，——大尼诸戒，及威仪。

此仅是受学戒法，非另外得戒，故与他戒不同。

以下讲比丘戒。因时间很短，现在不能详细说明，唯有几句要紧话先略说之：我们生此末法时代，沙弥戒与比丘戒皆是不能得的，原因甚多甚多！今且举出一种来说，就是没有能授沙弥戒比丘戒的人；若受沙弥戒，须二比丘授，比丘戒至少要五比丘授；倘若找不到比丘的话，不单比丘戒受不成，沙弥戒亦受不成。我有一句很伤心的话要对诸位讲：从南宋迄今六七百年来，或可谓僧种断绝了！以平常人眼光看起来，以为中国僧众很多，大有达至几百万之概；据实而论，这几百万中，要找出一个真比丘，怕也是不容易的事！如此怎样能受沙弥比丘戒呢？既没有能授戒的人，如何会得戒呢？我想诸位听到这话，心中一定十分扫兴；或以为既不得戒，我们白吃辛苦，不如早些回去好，何必在此辛辛苦苦做这种极无意味的事情呢？但如此怀疑是大不对的：我劝诸位应好好地镇静地在此受沙弥戒比丘戒才是！虽不得戒，亦能种植善根，兼学种种威仪，岂不是好；又若想将来学律，必先挂名受沙弥比丘戒，否则以白衣学律，必受他人讥评，所以你们在这儿发心受沙弥比丘戒是很好的！

这次本寺诸位长老唤我来讲律学大意，我感着有种种困难之点；这是什么缘故？比方我在这儿，不依据佛所说的道理讲，一味地随顺他人顾惜情面敷衍了事，岂不是我害了你们吗！若依实在的话与你们讲，又恐怕因此引起你们的怀疑；所以我觉着十分困难。因此不得已，对于诸位分作两种说法：（一）老实不客气地，必须要说明受戒真相，恐怕诸位出戒堂后，妄自称为沙弥或比丘，致招重罪，那是不得了的事情！我有种比方，譬如：泉州这地方有司令官等，不识相的老百姓亦自称我是司令官，如司令官等听到，定遭不良结果，说不定有枪毙之危险！未得沙弥比丘戒者，妄自称为沙弥或比丘，必定遭恶报，亦就是这个道理。我为着良心的驱使，所以要对诸位说老实话。（二）以现在人情习惯看起来，我总劝诸位受戒，挂个虚名，受后俾可学律；不然，定招他人诽谤之虞；这样的说，诸位定必明了吧。

更进一层说，诸位中若有人真欲绍隆僧种，必须求得沙弥比丘戒者，亦有一种特别的方法；即是如益大师礼占察忏仪，求得清净轮相，即可得沙弥比丘戒；除此以外，无有办法。故益大师云："末世欲得净戒，舍此占察轮相之法，更无别途。"因为得清净轮相之后，即可自誓总受菩萨戒，而沙弥比丘戒皆包括在内，以后即可称为菩萨比丘。礼占察忏得清净轮相，虽是极不容易的事，倘诸位中有真发大心者，亦可奋力进行，这是我最希望你们的。

以下说比丘尼戒。现在不能详说。依据佛制，比丘尼戒要重复受两次；先依尼僧授本法，后请大僧正授，但正得戒时，是在大僧正授时；此法南宋以后已不能实行了。

最后说菩萨戒。为着时间关系亦不能详说。

现在略举三事：

（一）要有菩萨种性，又能发菩提心，然后可受菩萨戒。什么是种性呢？就简单来说，就是多生以来所成就的资格。所以当受戒时，戒师问：“汝是菩萨否？”应答曰：“我是菩萨！”这就是菩萨种性。戒师又问：“既是菩萨，已发菩提心否？”应答曰：“已发菩提心。”这就是发菩提心。如这样子才能受菩萨戒。

（二）平常人受菩萨戒者皆是全受；但依璎珞本业经，可以随身分受，或一或多；与前所说的受五戒法相同。

（三）犯相重轻，依旧疏新疏有种种差别，应随个人力量而行；现以例说，如：妄语戒，旧疏说大妄语乃犯波罗夷罪，新疏说，小妄语即犯波罗夷罪。至于起杀盗淫妄之心，即犯波罗夷，乃是为地上菩萨所制。我等凡夫是做不到的。所谓菩萨戒虽不易得，但如有真诚之心，亦非难事；且可自誓受，不比沙弥比丘戒必须要请他人授；因为菩萨戒五戒八戒皆可自誓受，所以我们颇有得菩萨戒之希望！

今天律学要略讲完，我想在其中有不妥当处或错误处，还请诸位原谅。最后我尚有几句话：诸位在此受戒很好。在近代说，如外江最有名望的地方，虽有传戒，实不及此地完备，这是这里办事很有热心，很有精神，很有秩序，诚使我佩服，使我赞美。就以讲律来说，此地戒期中讲沙弥律、比丘戒本、梵网经，他方是难有的。几年前泉州大开元寺于戒期中提倡讲律，大家皆说是破天荒的举动。本寺此次传戒之美备，实与数年前大开元寺相同；并有露天演讲，使外人亦有种植善根之机缘，诚办事周到之处。本年天灾频仍，泉州亦不在例外，在人心惨痛、境遇萧条的状况中，本寺居然以极大规模，很圆满地开戒，这无非是诸位长老及大护法的道德感化所及；我这次到此地，心实无限欢喜，此是实话，并非捧场；此次能碰着这大机缘与诸位相聚，甚慰衷怀，最后还要与诸位恭喜。

在家律要之开示

凡初发心人，既受三皈依，应续受五戒。倘自审一时不能全受者，即先受四戒三戒，乃至仅受一二戒，都可。在家居士，既闻法有素，知自行检点，严自约束，不蹈非礼，不敢轻率妄行。则杀生、邪淫、大妄语、饮酒之四戒，或可不犯；惟有在社会上办事之人，欲不破盗戒，为最不容易事。例如与人合买地皮房产，与人合做生意，报税纳捐时，未免有以多数报少数之事；因数人合伙，欲实报则人以为愚。或为股东所反对者有之。又不知而犯，与明知违背法律而故犯之事；如信中夹附钞票，与手写函件取巧掩藏，当印刷物寄，均犯盗税之罪。凡非与而取，及法律所不许，而取巧不纳，皆有盗取之心迹，及盗取之行为，皆结盗罪。非但银钱出入上，当严净其心；即微而至于一草一木、寸纸尺线，必须先向物主明白请求，得彼允许，而后可以使用。不待许可而取用、不曾问明而擅动，皆有不与而取之心迹，皆犯盗取盗用之行为，

皆结盗罪。......（按下文佚失俟得全文再续载之）

佛灭度后以戒为师

岁次癸酉，于妙释寺讲四分戒本。

正月二十一蕅益大师涅槃日始

二月十五佛涅槃日圆满

普润法师护持赞助，书此以奉敬志功德！

慧光明院沙门昙昉并识

弘律愿文

如是戒品，我今誓愿，受持修学，尽未来际，不复舍离。以此功德，愿我及众生，无始已来所作众罪，尽得消灭。若一切众生所有定业，当受报者，我皆代受。遍微尘国，历诸恶道，经微尘劫，备尝众苦，欢喜忍受，终无厌悔；令彼众生，先成佛道。我所发愿，真实不虚，伏惟三宝证知者。

演音自撰发愿句三种，行住坐卧，常常忆念，我所修持一切功德，悉以回施法界众生；众生所造无量恶业，愿我一身代受众苦。

誓舍身命，护持三世一切佛法！

誓舍身命，救度法界一切众生！

愿代法界一切众生，备受众苦！

愿护南山四分律宗弘传世间！

南山律苑住众学律发愿文

中华民国二十二年（1933），岁次癸酉五月二十六日即旧历五月初三日，恭值灵峰蕅益大师圣诞，学律弟子等敬于诸佛菩萨祖师之前，同发四弘誓愿已并别发四愿：

一愿学律弟子等，生生世世，永为善友，互相提携，常不舍离。同学毗尼，同宣大法，绍隆僧种，普利众生；

一愿弟子等学律及以弘法之时，身心安宁，无诸魔障，境缘顺遂，资生充足；

一愿当来建立南山律院，普集多众，广为弘传。不为名闻，不求利养；

一愿发大菩提心，护持佛法。誓尽心力，宣扬七百余年湮没不传之南山律教，流布世间。

冀正法再兴，佛日重耀；并愿以此发宏誓愿，及以别发四愿功德乃至当来学律一切功德，悉以回向法界众生；惟愿诸众生等，共发大心，速消业障，往往极乐，早证菩提！

伏乞

十方一切诸佛

本师释迦牟尼佛

极乐世界阿弥陀佛

观世音菩萨摩诃萨

地藏菩萨摩诃萨

南山道宣律师

灵芝元照律师

灵峰蕅益大师，慈念哀愍，证明摄受！

学律弟子演音弘一　性常宗凝

照融广洽　传净了识

传正心灿　广演本妙

寂声谁具　寂明瑞曦

寂德瑞澄　腾观妙慧

寂护瑞卫　广信平愿

问答十章

问：近世诸丛林传戒之时，皆令熟读毗尼日用切要（俗称为五十三咒），未审可否？

答：蕅益大师曾解释此义，今略录之。文云：

“既预比丘之列，当以律学为先。今之愿偈即当愿众生等，本出华严。种种真言，皆属密部。论法门虽不可思议，约修证则各有本宗。收之则全是，若一偈、若一句、若一字，皆为道种。拣之则全非，律不律、显不显、密不密，仅成散善；此正法所以渐衰，而末运所以不振。有志之士，不若专精戒律，办比丘之本职也。”

十诵：

诸比丘废学毗尼，便读诵修多罗、阿毗昙，世尊种种诃责。乃至由有毗尼佛法住世等。多有上座长老比丘学律。

问：百丈清规，颇与戒律相似；今学律者，亦宜参阅否？

答：百丈于唐时编纂此书，其后屡经他人增删。至元朝改变尤多，本来面目，殆不可见；故莲池、蕅益大师力诋斥之。莲池大师之说，今未及检录。唯录蕅益大师之说如下。文云："正法灭坏，全由律学不明。百丈清规，久失原作本意；并是元朝流俗僧官住持，杜撰增饰，文理不通。今人有奉行者，皆因未谙律学故也。"又云："非佛所制，便名非法；如元朝附会百丈清规等。"又云："百丈清规，元朝世谛住持穿凿，尤为可耻。"按律宗诸书，浩如烟海。吾人尽形学之，尚苦力有未及。即百丈原本今仍存在，亦可不须阅览，况伪本乎？今宜以莲池、蕅益诸大师之言，传示道侣可也。

问：今世俗众，乞师证明受皈依者，辄称皈依某师，未知是否？

答：不然！以所皈依者为僧伽，非唯皈依某师一人故。蕅益大师云："皈依僧者，则一切僧皆我师也。今世俗士，择一名德比丘礼事之，窃窃然矜曰：吾为某知识、某法师门人也！彼知识法师者，亦窃窃然矜曰：彼某居士、某宰官皈依于我者也！噫！果若此，则应曰：皈依佛、皈依法、结交一大德可也。可云皈依僧也与哉！”

问：近世弘律者，皆宗莲池大师沙弥律仪要略，未知善否？

答：沙弥戒法注释之书，以蕅益大师所著沙弥十戒威仪录要，最为完善；此书扬州刻版，共为一册，标名曰沙弥十法并威仪。价金仅洋一角余，若与初学之人讲解沙弥律者，宜用此书也。莲池大师为净土大德，律学非其所长。所著律仪要略中，多以己意判断，不宗律藏；故蕅益大师云：“莲池大师专弘净土，而于律学稍疏。”（见梵网合注缘起中。今未检原书，略述其大意如此）又云：“律仪要略，颇有斟酌，堪逗时机，而开遮轻重忏悔之法，尚未申明。”以此诸文证之，是书虽可导俗，似犹未尽善也。

问：沙弥戒第十，不捉持金银；今人应依何方法，乃能不犯此戒？

答：根本有部律摄云：比丘若得金银等物，应觅俗众为净施主；即作施主物想捉持无犯。虽与施主相去甚远，若以后再得金银等，应遥作施主物心而持之。乃至施主命存以来，并皆无犯。若无施主可得者，应持金银等物，对一比丘作是说："大德存念！我比丘某甲得比不净财，当持此不净财，换取净财。"三说已；应自持举，或令人持举，皆无犯也。（以上录律摄大意非全文也）

问：今世传戒，皆聚集数百人，并以一月为期，是佛制否？

答：佛世，凡受戒者，由剃发和尚为请九僧，即可授之；是一人别授也。此土唐代虽有多人共受者，亦止一二十人耳。至于近代，唯欲热闹门庭，遂乃聚集多众；故蕅益大师尝斥之云：随时皆可入道，何须腊八及四月八。难缘方许三人，岂容多众至百千众也。至于受戒之时，不足半日即可授了，何须多日。且近代一月聚集多众者，亦只令受戒者，助作水陆经忏及其他佛事等，终日忙迫，罕有余暇。受戒之事，了无关系；斯更不忍言矣。故受戒决不须多日。所最要者，和尚于受前受后，应负教导之责耳。唐义净三藏云：岂有欲受之时，非常劳倦。亦既得已，戒不关怀，不诵戒经，不披律典。虚沾法伍，自损损他；若此之流，成灭法者！蕅益大师云：夫比丘戒者，乃是出世宏规，僧宝由斯建立。贵在受后修学行持，非可仅以登坛塞责而已；是故诱诲奖劝宜在事先，研究讨明功须五夏。而后代师匠，多事美观。遂以平时开导之法，混入登坛秉授之次；又受时虽似殷重，受后便谓毕功。颠倒差讹，莫此为甚。（菩萨戒另受）

问：今世传戒，有戒元、戒魁等名，未知何解？

答：此于受戒之前，令受戒者出资获得；与清季时，捐纳功名无异。非因戒德优劣而分也。此为陋习，最宜革除。

问：末世授戒，未能如法，决不得戒。未识更依何方便，而能获得比丘戒耶？

答：蕅益大师云："末世欲得净戒，舍此占察轮相之法，更无别途。”盖指依地藏菩萨占察善恶业报经所立之占察忏法而言也。按占察经云：“（先示忏法大略）未来世诸众生等，欲求出家，及已出家，若不能得善好戒师及清净僧众，其心疑惑，不得如法受于禁戒者。但能学发无上道心，亦令身口意得清净已。礼忏七日之后，每晨以身口意三轮三掷，皆纯善者，即名得清净相。其未出家者，应当剃发，被服法衣，仰告十方诸佛菩萨，请为师证。一心立愿称辩戒相。先说菩萨十根本重戒，次当总举菩萨律仪三种戒聚。所谓摄律仪戒（五、八、十具等）、摄善法戒、摄化众生戒。自誓受之，则名具获波罗提木叉出家之戒，名为比丘、比丘尼。”故蕅益大师于三十五岁退为沙弥，遂专心礼占察忏法，至四十七岁正月初一日，乃获清净轮相，得比丘戒。

已前：约有戒论　退为出家优婆塞，成时、性旦并受长期八戒。约无戒论　自誓受三皈、五戒。长期八戒，菩萨戒少分。

授比丘戒缘，第四心境相应。或心不当境，或境不称心，或心境俱不相应；并非法故。

问：若已破四重戒者，犹得再受比丘戒耶？

答：在家之人，或破五戒、八戒中四重。出家之人，或破沙弥、沙弥尼、式叉摩那、比丘、比丘尼戒中四重；并名边罪。若依小乘律，不得重受。若依梵网经；虽通忏悔，须以得见相好为期。今依占察经忏法，则以得清净轮相为期也。占察经云："未来之时，若在家、若出家众生等，欲求受清净妙戒，而先已作增上重罪即是边罪，不得受者，亦当如上修忏悔法。令其至心，得身口意善相已；即可应受。"

问：古代禅宗大德，居山之时，则以三条篾、一把锄为清净自活。领众之时，又以一日不作一日不食为清规。皆与律制相背，是何故耶？

答：古代禅宗大德，严净毗尼，宏范三界者，如远公、智者等是也。其次，则舍微细戒，唯护四重；但决不敢自称比丘、不敢轻视律学。唯自愧未能兼修，以为渐德耳。昔有人问寿昌禅师云："佛制比丘不得掘地损伤草木。今何自耕自种？"答云："我辈只是悟得佛心，堪传佛意，指示当机，令识心性耳。若以正法格之，仅可称剃发居士，何敢当比丘之名耶？”又问：“设令今时有能如法行持比丘事者，师将何以视之？”答云：“设使果有此人，当敬如佛、待以师礼。”我辈非不为也，实未能也。又紫柏大师，生平一粥一饭，别无杂食。胁不著席四十余年，犹以未能持微细戒，故终不敢为人授沙弥戒及比丘戒。必不得已则授五戒法耳。嗟乎！从上诸祖，敬视律学如此，岂敢轻之；若轻律者，定属邪见，非真实宗匠也。

（以上依蕅益大师文挈录）

上列十章，未依次第；又以匆促撰录，或有文义未妥之处，俟后修正可也。

占察法

木轮相 ＜｜不杀｜＞ 共十九轮

轮相有三种差别
- 一、能示宿世所作善恶业种差别（但观善恶种子有无）
- 二、观善恶业力强弱
- 三、遍示三世受报差别

共十轮。书十善十恶之名，一面书善，一面书恶，令使相对，则余两面皆空；故使善恶有现有不现也。

一、 <｜不杀｜>

二、 <｜　　｜身>

三、 <｜一｜>

占时用初二：初轮念相应否。（二皆有不再掷；或再掷）次轮，唯取前相应者问，不符再掷。

菩萨戒　自誓受，依瑜伽羯磨。（先羯磨后戒相）

比丘及比丘尼戒　羯磨同上。（菩萨一比丘二）

年未满，似亦应依前羯磨受；年满时，仍依前羯磨受。

行法

第一，先洒净——增加（楞严咒绕坛）

礼忏七日后掷三业（最好用九个闭目三掷后再看）

征辨学律义八则

问：我等受戒未能如法，将何以自解耶？若云受戒未能如法决定不得戒者，有何明文作证耶？

答：今先解释不得戒义：

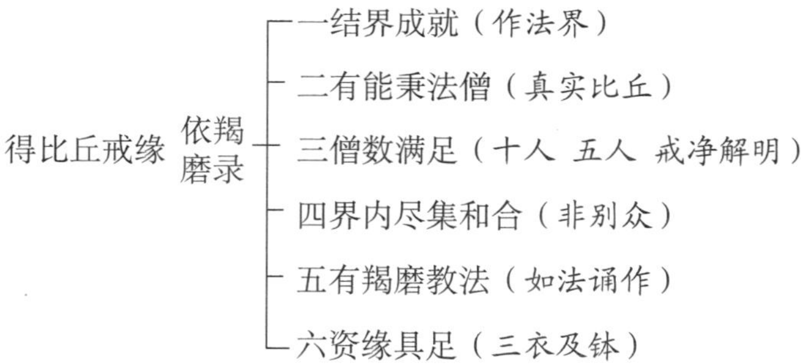

以上六缘，若阙一者即不得戒。今则悉阙，故不得戒义，可以决定无疑。沙弥戒于师授前，应在僧中作单白羯磨；故前五缘皆同，亦应判为不得。

问：既知未能得比丘戒，应有何妥善之办法耶？

答：今据拙见，拟定办法，分为二事：

一劝令礼占察忏仪，求得比丘戒。蕅益大师云："末世欲得净戒，舍此占察轮相之法，更无别途。”大师即依此法而得比丘戒也。此事易知，今不详述。

二于未得戒以前，为护法心，维持现状，不令断绝。令已受而未得者，学习比丘律。此事颇有疑问。后之辨释，皆约此也。

以上所言二事，第一为根本之办法；第二为维持现状之办法。此二事应同时并行，不可或阙。若唯有第一而无第二，则永远无真实比丘出现。若唯有第一而无第二，则过渡时代之现状不能维持；故须二事同时并行，乃为宜也。

问：非比丘，学比丘律，可有圣教作证耶？

将答此问，先须解释非比丘三字。非比丘三类：一约沙弥（此非问者本意所在）。二约已受沙弥、比丘戒，而不如法不得戒者。（问者本意在此。以下答文，皆约此辨释。文中亦有时指前后二类者，为是兼明，非正意也）三约未曾受沙弥、比丘戒者。

答：若欲觅求律中有制未得戒者必须学比丘律之明

文，乃不可能之事；但可引文以证非比丘而学比丘律无有贼住之过失。又可引文以证已受比丘戒而不如法不得戒之白衣，虽在僧中闻正式作羯磨者亦不成贼住；依此义判：已受而不如法不得戒之白衣，或亦可以学比丘律。即在僧中闻正式作羯磨者，亦似无大碍也。

问：前云非比丘而学比丘律，无贼住过，有何文以为证耶？

答：灵芝律师资持记云："问：'私习秉唱，未具忽闻；及未受前，曾披经律，因读羯磨了知言义，成障戒否（即贼住）？'答：'准前后文，并论僧中正作，诈窃成障。安有读文而成障戒'。古来高僧，多有在俗先披大藏。今时信士，多亦如之；若皆障戒，无乃太急。学者详之。"又羯磨云："二者，有人不得满数应诃；谓若欲受大戒人。"灵芝律师济缘记释云："谓沙弥受戒，或曾披律，或复重来，晓达如非。旁无诃者，所为不轻，听自诃止。"曾披律者，既可求受大戒，足证无有贼住过矣。

问：前云已受比丘戒而不如法不得戒之白衣，此在僧中闻正式作羯磨者亦不成贼住，此言尤足令人骇异。有何明文以为证耶？

答：羯磨云："三者，不得满数不得诃者，……白衣……"南山律祖疏云："前十三难，有过障戒。此好白衣，受十具戒，虽并心净，不妨加法参差不成，仍本名故。"今案：我等已受戒而不如法不得戒者，即属此类；虽于僧中闻作羯磨，亦仅判为不得满数不得诃。决不云成贼住难，以无诈窃心故，而云此好白衣也。

问：已受而不得戒之白衣，若闻僧中正式作羯磨而无贼住难者，何以说戒羯磨时遣沙弥出耶？

答：灵芝律师资持记云："说戒遣未具者，恐生轻易，不论障戒；且如大尼亦遣，岂虑障戒耶？"

问：既不得沙弥、比丘戒，不堪为人世福田，虚消信施，罪果难逃耶？

答：南山律祖行事钞云："善见：檀越请比丘、沙弥虽未受具，亦入比丘数。涅槃：乃至未受十戒亦得受请。”灵芝律师资持记释云：“论约法同（沙弥），经听形同（出家优婆塞）；无非皆为解脱出家，即堪受供。”故知不为解脱出家，虽是比丘，亦应云虚消信施。若为解脱出家，虽优婆塞，亦堪为人世福田。

问：当来真实比丘出现，如法传戒，即皆成为真实比丘，不须复云维持现状。当其时，若有未受比丘戒者，仍可引据前例而先学比丘律耶？

答：前文曾云：“为护法心，维持现状不令断绝，令已受而未得者学习比丘律。”因引诸文曲为证明。余盖欲于过渡时代，勉强维持，冀延一线之传也。若当来皆成真实比丘，不须复立维持现状。即应依通途轨则，慎重其事。凡有未受比丘戒者，不须令其辄学律也。岂唯当来，即以现在而论，若未经受戒者，亦不须学。唯有已受戒而不如法不得戒者，乃可令其学律；若如是者，庶几无大过乎？

华严经读诵研习入门次第

读诵、研习，宜并行之。今依文便，分为二章。每章之中，先略后广。学者根器不同，好乐殊致，应自量力，各适其宜可耳。

龙集辛未首夏沙门亡言述

第一章　读诵

若好乐简略者，宜读唐贞元译《华严经普贤行愿品》末卷（即是别行一卷，金陵版最善，共一册）。唐清凉国师曰："今此一经，即彼《四十卷》中第四十也。而为《华严》关键，修行枢机。文约义丰，功高德广。能简能易，唯远唯深。可赞可传，可行可宝。"故西域相传云：《普贤行愿赞》为略《华严经》，《大方广佛华严经》为广《普贤行愿赞》。

或兼读唐译《华严经 · 净行品》。清徐文霨居士曰："当以《净行》一品为入手，以《行愿》末卷为归宿。"

又曰：“《净行》一品，念念不舍众生。夫至念念不舍众生，则我执不破而自破。纵未能真实利益众生，而是人心量则已超出同类之上。胜异方便，无以逾此。”

以上二种，宜奉为日课。此外，若欲读他品者，如下所记数品之中，或一或多，随力读之：《菩萨问明品》《贤首品》《初发心功德品》《十行品》《十回向品·初回向章》《十忍品》《如来出现品》（以上皆唐译）。若欲读全经者，宜读唐译（扬州砖桥法藏寺版最善，共二十册）。徐居士曰：“读全经至第五十九卷《离世间品》毕，宜接读贞元译《普贤行愿品》四十卷，共九十九卷，较为完全。盖《入法界品》，晋译十七卷，唐译二十一卷，皆非全文。贞元译本，乃为具足。不独末卷‘十大愿王’为必读之文，即如第三十八卷《文殊答善财修真供养》一章，足与末卷《广修供养文》互相发明，同为要中之要。而晋、唐二译皆阙也。”

（贞元译《普贤行愿品》亦法藏寺版并十册）

若有余力者，宜兼读晋译（金陵版共十六册）。徐居士曰：“晋译亦宜熟读。盖贤首以前诸祖师引述《华严》，皆用晋译。若不熟读，则莫知所指。”

第二章　研习

若好乐简略者，宜先阅《华严感应缘起传》。

（扬州版共一册）

若欲参阅他种者，宜阅《华严悬谈》第七“部类品会”第八“传译感通”二章。

（金陵版共八册，此二章载于卷二十五）

全经大旨，《悬谈》第七“品会”抄文，已述其概。若更欲详知者，宜阅《华严吞海集》。

（金陵版共一册）

并宜略阅唐译全经一遍，乃可贯通。

若欲知《普贤行愿品》末卷大旨者，宜阅《普贤行愿品》第四十卷《疏》节录。

（附刊于下记之《华严纲要》后）

又读他品时，宜读《华严纲要》此品释文。

（北京版共三十二册）

若更欲穷研者，宜依《大藏辑要·目录提要·华严部》所列者随力阅之。（《提要》载于《天津居士林林刊》

又转载于绍兴《大云杂志》）更益以此宗诸祖撰述等，兹不具录。（徐居士近辑《续大藏辑要·目录提要》“华严部”详载之）

《华严合论》最后阅之。徐居士曰：“所以劝学者研究《华严》，先《疏》后《论》者。以《疏》是疏体，解得一分即获一分之益，解得十分便获十分之益。终身穷之，而勿能尽。纵使全不能解，亦可受熏成种，有益而无损。《论》是论体，利根上智之士，读之有大利益。而初心学人，于各种经教既未深究，于《疏》《钞》又未寓目，则于《论》旨未易领会。但就《论》文颟顸笼统读去，恐难免空腹高心之病。莲池大师谓：‘统明大意，则方山专美于前。极深探赜，穷微尽玄，则方山得清凉而始为大备。’斯实千古定论，方山复起，不易斯言。”

本文作于1931年夏

净土法门大意

壬申十月在厦门妙释寺 讲

修净土宗者，第一须发大菩提心。《无量寿经》中所说三辈往生者，皆须发无上菩提之心。《观无量寿佛经》亦云，欲生彼国者，应发菩提心。

由是观之，惟求自利者，不能往生。因与佛心不相应，佛以大悲心为体故。

常人谓净土宗惟是送死法门（临终乃有用），岂知净土宗以大菩提心为主。常应抱积极之大悲心，发救济众生之宏愿。

修净土宗者，应常常发代众生受苦心。愿以一肩负担一切众生，代其受苦。所谓一切众生者，非限一县一省，乃至全世界。若依佛经说，如此世界之形，更有不可说不可说许多之世界，有如此之多故。凡此一切世界之众生，所造种种恶业应受种种之苦，我愿以一人一肩之力完全负担，决不畏其多苦，请旁人分任。因最初发誓愿，决定愿以一人之力救护一切故。

譬如日，不以世界多故，多日出现；但一日出，悉能普照一切众生。今以一人之力，负担一切众生，亦如是。

以上但云以一人能救一切，是横说。若就竖说，所经之时间，非一日数日数月数年。乃经不可说不可说久远年代，尽于未来，决不厌倦。因我愿于三恶道中，以身为抵押品，赎出一切恶道众生。众生之罪未尽，我决不离恶道，誓愿代其受苦。故虽经过极长久之时间，亦决不起一念悔心，一念怯心，一念厌心。我应生十分大欢喜心，以一身承当此利生之事业也。已上讲应发大菩提心竟。

至于读诵大乘，亦是观经所说。修净土法门者，固应诵《阿弥陀经》，常念佛名。然亦可以读诵《普贤行愿品》，回向往生。因经中最胜者，《华严经》。《华严经》之大旨，不出《普贤行愿品》第四十卷之外。此经中说，诵此普贤愿王者，能获种种利益，临命终时，此愿不离，引导往生极乐世界，乃至成佛。故修净土法门者，常读诵此《普贤行愿品》，最为适宜也。

至于作慈善事业，乃是人类所应为者。专修念佛之人，往往废弃世缘，懒作慈善事业，实有未可。因现生能种种慈善事业，亦可为生西之资粮也。

因既为佛徒，即应努力作利益社会种种之事业，乃令他人了解佛教是救世、积极的，不起误会。

就以上所说，第一劝大家应发大菩提心。否则他人将谓净土法门是小乘、消极的、厌世的、送死的，若发心者，自无此讥评。

复劝常读行愿品，可以助发增长大菩提心。

至于做慈善事业尤要。

关于净土宗修持法，于诸书皆详载，无俟赘陈。故惟述应注意者数事，以备诸君参考。

净宗问辨

乙亥二月于万寿岩讲

古德撰述，每设问答，遣除惑疑，翼赞净土，厥功伟矣。宋代而后，迄于清初，禅宗最盛，其所致疑多原于此。今则禅宗渐衰，未劳攻破，而复别有疑义，盛传当时。若不商榷，或致诖乱。故于万寿讲次，别述所见，冀息时疑。匪曰好辩，亦以就正有道耳。

问：当代弘扬净土宗者，恒谓专持一句弥陀，不须复学经律论等，如是排斥教理，偏赞持名，岂非主张太过耶？

答：上根之人，虽有终身专持一句圣号者，而决不应排斥教理。若在常人，持名之外，须于经律论等随力兼学，岂可废弃？且如灵芝疏主，虽撰义疏盛赞持名，然其自行亦复深研律藏，旁通天台法相等，其明证矣。

问：有谓净土宗人，率多抛弃世缘，其信然欤？

答：若修禅定或止观或密咒等，须谢绝世缘，入山静习。净土法门则异于是。无人不可学，无处不可学，士农工商各安其业，皆可随分修其净土。又于人事善利群众公益一切功德，悉应尽力集积，以为生西资粮，何可云抛弃耶!

问：前云修净业者不应排斥教理抛弃世缘，未审出何经论?

答：经论广明，未能具陈，今略举之。《观无量寿佛经》云："欲生彼国者当修三福。一者，孝养父母，奉事师长，慈心不杀，修十善业。二者，受持三归，具足众戒，不犯威仪。三者，发菩提心，深信因果，读诵大乘，劝进行者。如此三事，名为净业，乃是过去、未来、现在三世诸佛净业正因。"《无量寿经》云："发菩提心，修诸功德，殖诸德本，至心回向，欢喜信乐，修菩萨行。"《大宝积经·发胜志乐会》云："佛告弥勒菩萨言：菩萨发十种心。一者，于诸众生，起于大慈，无损害心。二者，于诸众生，起于大悲，无逼恼心。三者，于佛正法，不惜身命，乐守护心。四者，于一切法，发生胜忍，无执著心。五者，不贪利养，恭敬尊重，净意乐心。六者，求佛种智，于一切时，无忘失心。七者，于诸众生，尊重恭敬，无下劣心。八者，不着世论，于菩提分，生决定心。九者，种诸善根，无有杂染，清净之心。十者，于诸如来，舍离诸相，起随念心。若人于此十种心中，随成一心，乐欲往生极乐世界，若不得生，无有是处。”

问：菩萨应常处娑婆，代诸众生受苦。何故求生西方？

答：灵芝疏主初出家时，亦尝坚持此见，轻谤净业。后遭重病，色力痿羸，神识迷茫，莫知趣向。既而病瘥，顿觉前非，悲泣感伤，深自克责，以初心菩萨未得无生法忍。志虽洪大，力不堪任也。《大智度论》云：“具缚凡夫有大悲心，愿生恶世救苦众生无有是处。譬如婴儿不得离母。又如弱羽只可传枝。未证无生法忍者，要须常不离佛也。”

问：法相宗学者欲见弥勒菩萨，必须求生兜率耶？

答：不尽然也。弥勒菩萨乃法身大士，尘尘刹刹同时等遍。兜率内院有弥勒，极乐世界亦有弥勒，故法相宗学者不妨求生西方。且生西方已，并见弥陀及诸大菩萨，岂不更胜？《华严经·普贤行愿品》云："到已，即见阿弥陀佛、文殊师利菩萨、普贤菩萨、观自在菩萨、弥勒菩萨等。"又《阿弥陀经》云："其中多有一生补处，其数甚多，非是算数所能知之，但可以无量无边阿僧祇说。众生闻者，应当发愿，愿生彼国。所以者何？得与如是诸上善人俱会一处。"据上所引经文，求生西方最为殊胜也。故慈恩教主窥基大师曾撰《阿弥陀经通赞》三卷及疏一卷，普劝众生同归极乐，遗范具在的可依承。

问：兜率近而易生，极乐远过十万亿佛土，若欲往生不綦难欤？

答：《华严经·普贤行愿品》云："一刹那中，即得往生极乐世界。"灵芝弥陀义疏云："十万亿佛土，凡情疑远，弹指可到。十方净秽同一心故，心念迅速不思议故。"由是观之，无足虑也。

问：闻密宗学者云，若惟修净土法门，念念求生西方，即渐渐减短寿命，终至夭亡。故修净业者，必须兼学密宗长寿法，相辅而行，乃可无虑。其说确乎？

答：自古以来，专修净土之人，多享大年，且有因念佛而延寿者。前说似难信也。又既已发心求生西方，即不须顾虑今生寿命长短，若顾虑者必难往生。人世长寿不过百年，西方则无量无边阿僧祇劫。智者权衡其间，当知所轻重矣。

问：有谓弥陀法门，专属送死之教，若药师法门，生能消灾延寿，死则往生东方净刹，岂不更善?

答：弥陀法门，于现生何尝无有利益，具如经论广明，今且述余所亲闻事实四则证之，以息其疑。

一、瞽目重明 嘉兴范古农友人戴君，曾卒业于上海南洋中学，忽尔双目失明，忧郁不乐。古农乃劝彼念阿弥陀佛，并介绍居住平湖报本寺，日夜一心专念。如是年余，双目重明如故。此事古农为余言者。

二、沉疴顿愈 海盐徐蔚如旅居京师，屡患痔疾，经久不愈。曾因事远出，乘人力车磨擦颠簸，归寓之后，痔乃大发，痛彻心髓，经七昼夜不能睡眠，病已垂危。因忆华严十回向品代众生受苦文，依之发愿。后即一心专念阿弥陀佛，不久遂能安眠，醒后痔疾顿愈，迄今已十数年，未曾再发。此事蔚如尝与印光法师言之。余复致书询问，彼言确有其事也。

三、冤鬼不侵 四川释显真，又字西归。在家时历任县长，杀戮土匪甚多。出家不久，即住宁波慈溪五磊寺，每夜梦见土匪多人，血肉狼藉，凶暴愤怒，执持枪械，向其索命。遂大恐惧，发勇猛心，专念阿弥陀佛，日夜不息，乃至梦中亦能持念。梦见土匪，即念佛号以劝化之。自是梦中土匪渐能和驯，数月以后，不复见矣。余与显真同住最久，常为余言其往事，且叹念佛功德之不可思议也。

四、危难得免 温州吴璧华勤修净业，行住坐卧，恒念弥陀圣号。十一年壬戌七月下旬，温州飓风暴雨，墙屋倒坏者甚多。是夜璧华适卧墙侧，默念佛号而眠。夜半，墙忽倾圮，砖砾泥土坠落遍身，家人疑已压毙，相率奋力除去砖土，见璧华安然无恙，犹念佛号不辍。察其颜面以至肢体，未有毫发损伤，乃大惊叹，共感佛恩。其时余居温州庆福寺，风灾翌日，璧华亲至寺中向余言之。璧华早岁奔走革命，后信佛法，于北京温州杭州及东北各省尽力弘扬佛化，并主办赈济慈善诸事，临终之际，持念佛号，诸根悦豫，正念分明。及大殓时，顶门犹温，往生极乐，可无疑矣。

心经大意

戊寅三月讲于温陵大开元寺

自今日始，讲三日，先说此次讲经之方法。《心经》虽仅二百余字，摄全部佛法。讲非数日，一二月，至少须一年。今讲三日，岂能尽。仅说简略大意，及用通俗的浅显讲法。（无深文奥义，不释各相，一解大科。）

一、令粗解法者及未学法者，皆稍得利益；

二、又对常人（已信佛法）仅谓《心经》为空者，加以纠正；

三、又对常人（未信佛法）谓佛法为消极者，加以辨正。

般若波罗蜜多心经（唐代三藏法师玄奘奉诏译）

观自在菩萨，行深般若波罗蜜多时，照见五蕴皆空，度一切苦厄。舍利子！色不异空，空不异色，色即是空，空即是色。受想行识，亦复如是。舍利子！是诸法空相，不生不灭，不垢不净，不增不减。是故空中无色，无受想行识，无眼耳鼻舌身意，无色声香味触法。无眼界，乃至无意识界。无无明，亦无无明尽。乃至无老死，亦无老死尽。无苦集灭道，无智亦无得。以无所得故，菩提萨埵依般若波罗蜜多故，心无挂碍。无挂碍故，无有恐怖，远离颠倒梦想，究竟涅槃，三世诸佛，依般若波罗蜜多故，得阿耨多罗三藐三菩提。故知般若波罗蜜多，是大神咒，是大明咒，是无上咒，是无等等咒，能除一切苦，真实不虚。故说般若波罗蜜多咒，即说咒曰：揭谛揭谛，波罗揭谛，波罗僧揭谛，菩提萨婆诃。

先经题，后经文。

般若波罗蜜多心经：经题前七字为别题后一字为总题

般若：梵语也，译为智慧：

- 常人之小智小慧……
- 学者之俗智俗慧……
- 二乘之空智空慧……

（以上三者）——非

- 照见五蕴皆空，能除一切苦，真实不虚之大智大慧。

- 小智慧（小聪明、小巧）：亦云有智慧，与佛法相远。
- 俗智慧研学问，上等人甚好：亦云有智慧，但与佛法无涉。
- 空智慧：小乘人。

波罗蜜多：译为到彼岸（就一事之圆满成功言）。

若以渡河为喻——动身处：此岸。欲到处：彼岸。

以舟渡河竟：到彼岸。

约法言之——此岸：轮回生死。须依般若舟，乃能渡到彼岸。彼岸：圆满佛果而离苦得乐。

心：有数释。一释心乃比喻之辞，即是般若波罗蜜多之心。（心为一身之必要，此经为般若之精要）

引证：《大般若经》云："余经犹如枝叶，般若犹如树根。"又云："不学般若波罗蜜多，证得无上正等菩提，无有是处。"又云："般若波罗蜜多能生诸佛，是诸佛母。"

案　般若部，于佛法中甚为重要。佛说法四十九年，说般若者二十二年。而所说《大般若经》六百卷，亦为藏经中最大之部。《心经》虽二百余字，能包六百卷大般若义，毫无遗漏。故曰心也。

经：梵语修多罗，此翻契经。契为契理契机，经为贯穿摄化。经者，织物之直线也，与横线之纬对。此外尚有种种解释。此经有数译（七译），今常诵者为唐三藏法师玄奘所译。

已略释经题竟于讲正文之前先应注意者。

研习《心经》者，最应注意不可着空见。因常人闻说空义，误以为着空之见。此乃大误，且极危险！经云："宁起有见如须弥山，不起空见如芥子许。"因起有见者，着而修善业，犹报在人天；若着空见者，拨无因果，则直趣泥犁。故断不可着空见也。若再进而言之，空见既不可着，有见亦非尽善。

应（一）一不着有，（二）二亦不着空，乃为宜也。

（一）若着有者：执人我皆实有。既分人我，则有彼此，不能大公无私，不能有无我之伟大精神。故不可着有。须忘人我，乃能成就利生之大事业。

（二）若着空：如前所说，拨无因果且不谈，即二乘人仅得空慧而着偏空者，亦不能作利生事业也。

故佛经云"真空（非偏空，偏空不真）""妙有"（非实有，实有不妙），常人以为空有相反，今乃相合。

真空者，即有之空。虽不妨假说有人我但不执着其相。

妙有者，即空之有。虽不执着其相，亦不妨假说有人我。

如是终日度生，实无所度。虽无所度，而又决非弃舍不为。若解此意，则常人所谓利益众生者：能力薄弱，范围小，时不久，不彻底；若欲能力不薄弱，范围大者，须学佛法。了解真空妙有之理，精进修行，如此乃能完成利生之大事业也。

或疑《心经》少说有，多说空者：因常人多着于有，对症下药，故多说空。虽说空，乃即有之空，是真空也。若见此真空，即真空不空。因有此空，将来作利生事业乃成十分美满。

合前（三）非消极者是积极，当可了然。世人之积极，不过积极于暂时，佛法乃永久。

般若法门具有空与不空二义，以无所得，故以前之经文皆从般若之空一方面说。依此空义，于常人所执着之妄见，打破消灭一扫而空，使破坏至于彻底。菩提萨埵以下，是从般若不空方面说。复依此不空义，而炽然不求佛法，下化众生，以完成其圆满之建设。亦犹世间行事，先将不良之习惯等一一推翻，然后良好建设乃得实现也。世有谓佛法唯是消极者，皆由不知佛法之全系统及其精神所在，故有此误解也。

今讲正文，讲时分科。今唯略举大科不细分。

心经大科
- 初显了般若——初经家叙引
- 二秘密般若——二正说般若

由序再就说法之由序言，此译本不详，按宋施护译本先云：世尊在灵鹫山中入三摩提（三味，译言正定等）。舍利子白观自在菩萨言：若有欲修学甚深般若法门者，当云何修学？而观自在菩萨遂说此经云。

观自在菩萨 正文

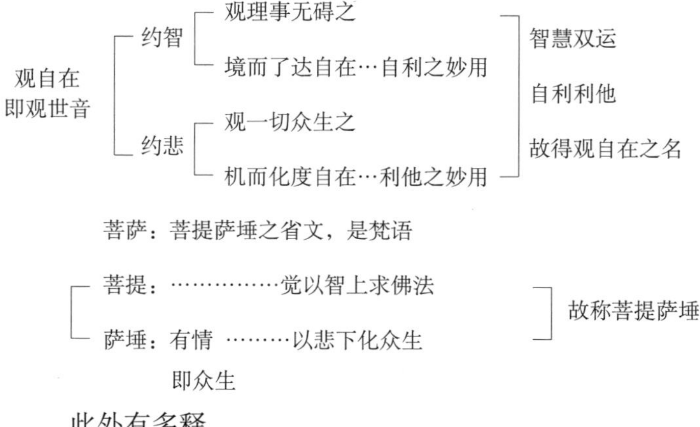

此外有多释

行深般若波罗蜜多时 正文

深
- 浅……人空般若 —— 二乘人入

  人空者，人体为五蕴之假和合，其中无有真实之我体。
- 深……法空般若 —— 菩萨入

  法空者，五蕴亦空，如后所明。

照见五蕴皆空 正文

五蕴，即旧译之五阴也。世间万法无尽，欲研高深哲理及正当人生观，应先于万法有整个之认识，有统一之概念。佛法既含有高深之哲理及正当人生观，应知亦尔。

此五蕴，即佛教用以总括世间万法者。故仅研五蕴，与研究一切万法无异。蕴者蕴藏积聚也。五蕴，亦称为五法聚。亦即五类之义，乃将一切精神物质之法归纳入此五类中也。

五蕴

五蕴

色蕴：障碍义

即一切相障有碍之处境与物质之议相似而较广——境处

受蕴：领纳义 即对于外境或若或乐及不苦不乐等之感受

此与今时人所习用之感情一词即是随官感印象而生之官感感情甚合。

若作了别解之感觉释之则非，因了别乃属识蕴也。

想蕴：取像义 即取着感受之印象而思想

行蕴：造作义 即对外境之动作

识蕴：了别义 即了别外境 变出外境之本体

（受蕴至识蕴：内心）

由外境色……而感着种种受

由种种受……而引种种想

由种种想……而发起种种行

由种种行……而熏习内心之识

由内心之识……而变成外境之色

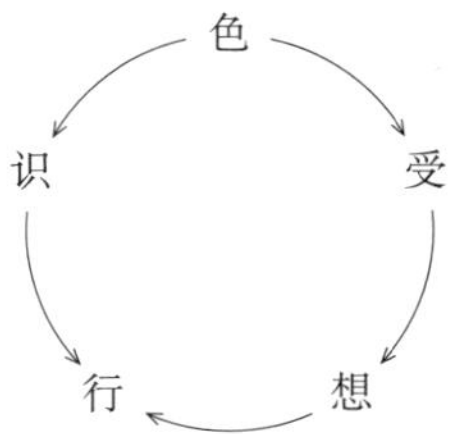

轮转生死 循环不绝

空：此空之真理及境界，须行深般若时，乃能亲见实证。今且就可能之范围略说。五蕴中最难了解其为空者，即色蕴。因有物质，有阻碍，似非空也。凡夫迷之，认为实有，起诸分别。其实乃空，且举二义：

一 无常 若色真实不虚者，应常恒不变，但外境之色蕴，乃息息变动。山河大地因有沧海桑田之感，即我自身，今年去年、今月上月、今日昨日，所谓我者，亦不相同。即我鼻中出入息：此一息我，非前一息我；后一息我，非此一息我。因于此一息中，我身已起无数变化，最显者我全身之血，因此一呼吸，遂变其性质成分位置及工作也。若进言之，匪惟一息有此变化，即刹那中亦悉尔也。既常常变化，故知是空。

二　所见不同　若色真实不空者，应何时何人所见悉同。但我等外境之色蕴，乃依时依人而异。

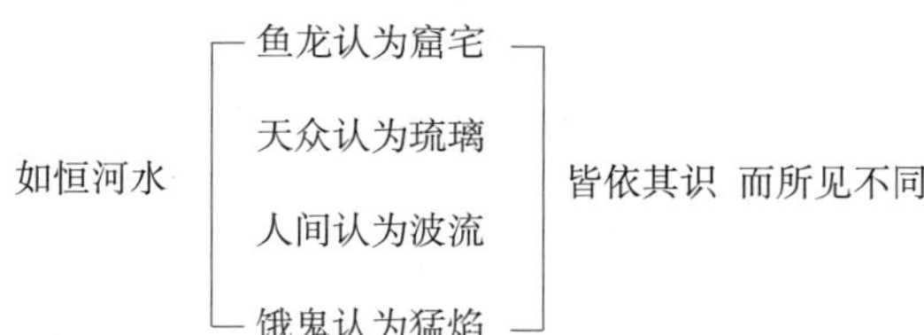

故外境之色，唯是我识妄认，非有真实。有如喜时，觉天地皆春；忧时，觉景物愁惨。于同一境中，一喜一忧，所见各异。既所见不同，故知是空。上略举二义，未能详尽。既知色空，其他无物质无阻碍之受想行识，谓为是空，可无疑矣。照见者非肉眼所见，明见也。上略举二义，未能详尽。

度一切苦厄 正文

苦：生死苦果。

厄：烦恼苦因，能厄缚众生。

此二皆由五蕴不空而起。由妄认五蕴不空，即生贪嗔痴等烦恼。由有烦恼，即种苦因，由种苦因，即有苦果。

度：若照见五蕴皆空，自能解脱一切苦厄。解脱者，超出也。（以上为结经家叙引）以下乃正说般若。

皆观自在菩萨所说，故先呼舍利子名。

舍利子（正文）是佛之大弟子。舍利，此云百舌鸟。其母辩才聪俐，以此鸟为名。百舌鸟又依母为名，故名舍利子。以上皆依法华玄赞释。

色不异空　空不异色　色即是空　空即是色（正文）

即前云五蕴皆空之真理，以五蕴与空对观，显明空义。能知色不异空，无声色货利可贪，无五欲尘劳可恋，即出凡夫境界；能知空不异色、不入二乘涅槃而化度众生，即出二乘境界。如是乃菩萨之行也。故应于“不异”与“即是”二义详研，不得仅观空之一边，乃善学般若者也。

不异：粗浅色与空互较不异，乃是二事。

即是：深蜜色与空相。即空依色，色依空，非空外色，非色外空，乃是一事。

受想行识　亦复如是（正文）

受想行识不异空，空不异受想行识。

受想行识即是空，空即是受想行识。

以上所云不异即是二者观之。五蕴乃根本空彻底空。

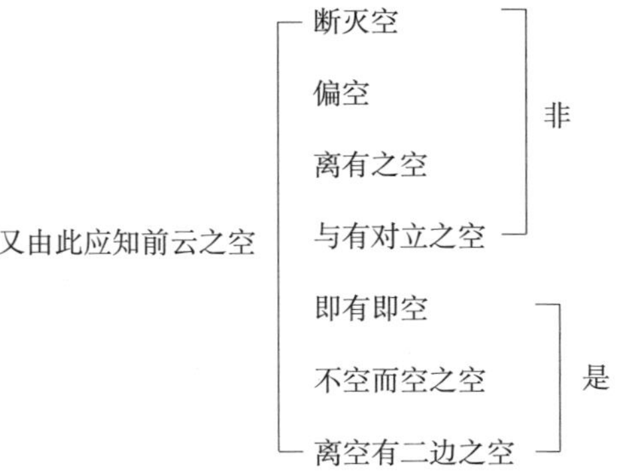

舍利子！是诸法空相（正文）

诸法：前言五蕴，此言诸法，无有异也。

空相：此相字宜注意，上段说诸法空性，此处说诸法空相。所谓空者，非是空，是诸法之上有所显之空，是离空有二边之空。最宜注意。

不生不灭　不垢不净　不增不减（正文）

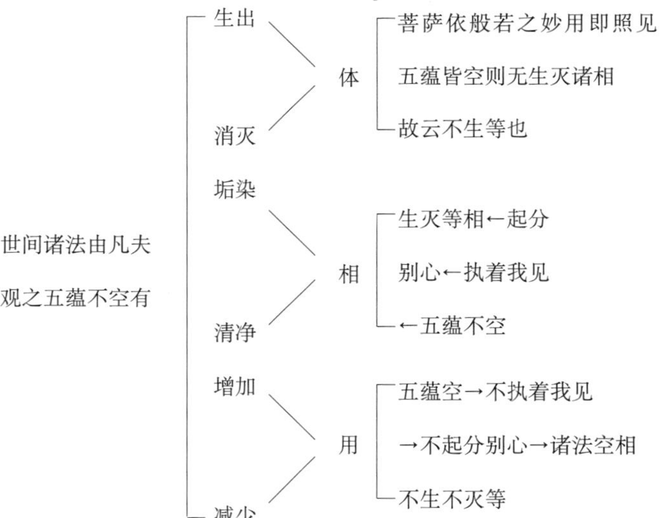

由此可知，生死即涅槃，烦恼即菩提，众生即佛；而不厌离生死、怖畏烦恼、舍弃众生，乃能证不生等境界。如此乃是菩萨，乃是般若，乃是自在。

是故空中无色，无受想行识，无眼耳鼻舌身意，

无色声香味触法，无眼界乃至无意识界。（正文）

以下广说五蕴皆空之义，分为三段：

（一）空凡夫法：是故空中无色乃至无意识界

（二）空二乘法：无无明乃至无苦集灭道

（三）空大乘法：无智亦无得以无所得故

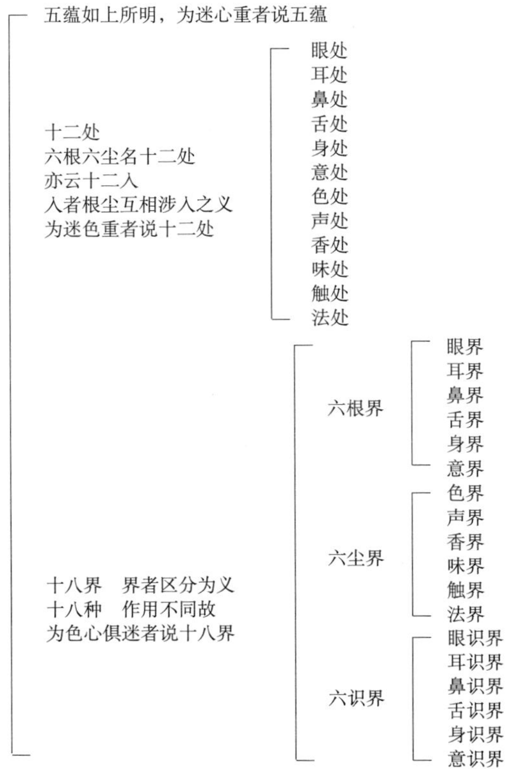

虽分三科，皆总括一切法而说。因学者根器不同，而开合有异耳。

蕴处界三科经文
- 是故空中无色 无受想行识
- 无眼耳鼻舌身意 无色声香味触法
- 无眼界乃至无意识界

无无明亦无无明尽

乃至无老死亦无老死尽 无苦集灭道（正文）

此乃空二乘法。上四句约缘觉言，下一句约声闻言。缘觉者：常观十二因缘而悟道；声闻者（闻佛声教）：观四谛而悟道。

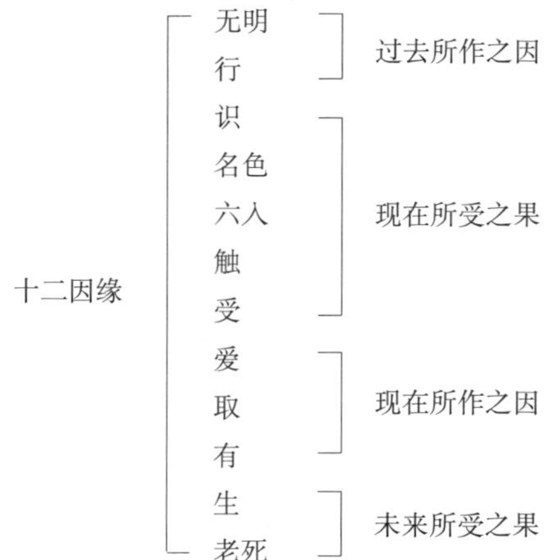

此十二因缘，乃说人生之生死苦果之起源及次序，借流转还灭二门，以显示世间及出世间法。

流转者：无明乃至老死之世间法；

还灭者：无明尽乃至老死尽之出世间法。若行般若者，世间法空，故经云“无无明尽乃至无老死”。

出世间法亦空，故经云“无无明乃至无老死尽”。

四谛 谛者真		
	苦谛	生死报——世间苦果
	集谛	烦恼业——世间苦因
	灭谛	涅　果——出世间乐果
	道谛	菩提道——出世间乐因

亦分二门。前二流转，后二还灭。若行般若者，世间及出世间法皆空，故经云“无苦集灭道”。

无智亦无得 以无所得故（正文）

此乃空大乘法。大乘菩萨求种种智，以期证得佛果，故超出声闻缘觉之境界。但所谓智所谓得，皆不应执着。所谓智者，用以破迷。迷时说有智，悟时即不待言，故云“无智”。所谓得者，乃对未得而言；既得之后，便知此事，本来具足，在凡不灭，在圣不增，亦无所谓得，故云“无得”。

以无所得故一句，证其空之所以。以上经文中，“无”字甚多，亦应与前“空”字解释相同，乃即有之无非寻常有无之无也。若常人观之，以为无所得，则实有一无所得在；即有一无所得可得，非真无所得也。若真无所得，或亦即是有所得。观下文所云佛与菩萨所得可知。

菩提萨埵乃至三藐三菩提。菩提萨埵等：说菩萨乘依般若而得之益；三世诸佛等：说佛乘依般若而得之益。

菩提萨埵依般若波罗蜜多故，心无挂碍。

无挂碍故，无有恐怖，远离颠倒梦想，究竟涅槃。（正文）

菩提萨埵即菩萨之具文

三世诸佛依般若波罗蜜多故，得阿耨多罗三藐三菩提。

（正文）

阿耨多罗者：无上也。三藐三菩提者：正等正觉也。

故知般若波罗蜜多是大神咒，是大明咒，是无上咒，是无等等咒，能除一切苦，真实不虚。（正文）

咒者：秘密不可思议，功能殊胜。此经是经，而今又称为咒者，极言其神效之速也。

是大神咒者：称其能破烦恼，神妙难测。

是大明咒者：称其能破无明，照灭痴暗。

是无上咒者：称其令因行满，至理无加。

是无等等咒者：称其令果德圆，妙觉无等。

真实不虚者：约般若体。

能除一切苦者：约般若用。

故说般若波罗蜜多咒，即说咒曰：

揭谛揭谛，波罗揭谛，波罗僧揭谛，菩提萨婆诃。（正文）

以上说显了般若竟，此说秘密般若。般若之妙义妙用，前已说竟。尚有难于言说思想者，故续说之。咒文依例不释，但当诵持，自获利益。

岁次戊寅二月十八日写讫 依前人撰述略录

未及详审 所有误处俟后改正 演音记

《药师经》析疑

●例言

一、经文据《丽藏》玄奘译本与世所习诵者异

二、科依《义疏》（《药师琉璃光如来本愿功德经义疏》三卷一七三八年日本宽水寺实观法师撰）

三、问多增文。答据《义疏》，间或遗略，时有润文；而观解、表法多缺。

四、唯引他文而略疏释，引文止处未易见者旁加"文"字。

五、若述私意，则上冠"案"字，以区别也。

●药师琉璃光如来本愿功德经科（略）

●释经题

药师琉璃光如来本愿功德经

问：若依台宗，说玄义五重，今应如何分判耶？

答：玄义五重：

一、人法为名者 魏塘云："'药师琉璃光如来'是人名，'本愿功德'是法名。"此说是也。青丘、秋篠及长谷，同以药师为喻者，此等不知从德立名。

二、正法宝藏为体者 “正”谓中正，“法”谓妙法，贵重为“宝”，包容为“藏”。与《华严》之诸法实性相，《方等》之实相如来藏，《般若》之佛母，《法华》之秘要之藏，《涅槃》之三德秘藏、金刚宝藏，同出异名。下文云：“于其国中有二菩萨摩诃萨，乃至悉能持彼世尊药师琉璃光如来正法宝藏。”若“正法宝藏”非经体者，二菩萨云何奉持耶？虽魏塘云“诸佛甚深行处为体”者，今所不取。何者？“诸佛”言通，“甚深”叹行，“行”字是宗，“处”字非体。如下文云：“流行之处”。故“行处”字不正指体。

三、如来因果为宗者 “本愿”二字，是如来因。其余九字，是如来果。魏塘以愿行方便为宗，引下文证者。今谓此昧宗致。既是因果，岂非因而不该始末耶！

四、与拔功德为用者 此与魏塘同，彼云：“此经始终，只明拔苦与乐。”

五、大乘方等为教相

●释经文

△大科为三：初序，二正宗，三流通。

△甲初、序分二：初通序，二别序。

△乙、今初

如是我闻。一时薄伽梵游化诸国，至广严城，住乐音树下，与大苾刍众八千人俱。菩萨摩诃萨三万六千，及国王、大臣、婆罗门、居士、天、龙、药叉、人非人等，无量大众，恭敬围绕，而为说法。

问：“广严”，梵语旧云“毗舍离”等。秋篠云：“此是城名。”而隋译本称为国者，误欤？

答：非也。国总城别耳。《西域记》云：“吠舍厘国（即是隋云毗舍离国），周五千余里。吠舍厘城，已甚倾毁，其故基址周六七十里，宫城周四五里。”

问：诸经列声闻众数，每云千二百五十人，今何甚多？

答：聚散随缘，何必一概。而经列千二百五十人者，如南山云：“重其初故。”又八千何多？如《金光明》云“九万八千”。

问：凡诸列众，何故数全耶？

答：《大论》释云：“若过若减，皆存大数。”

△乙二、别序三：初文殊请，二如来许，三文殊领。

△丙、今初

尔时曼殊室利法王子，承佛威神，从座而起，偏袒一肩，右膝着地，向薄伽梵曲躬合掌，自言：世尊，唯愿演说如是相类诸佛名号，及本大愿殊胜功德。令诸闻者业障消除，为欲利乐像法转时诸有情故。

问：“像法转时”，是何义耶？

答：长谷云：“转者，变也，恐指末法。”今谓不尔。《七佛经》中，虽于此云“末法之时”，其后《救脱章》则云：“于后末世像法起时”。对佛灭后，虽蒙“末”名，实是像法。秋篠云：“转者，起也。”其说则是。

△丙二、如来许

尔时世尊赞曼殊室利童子言：善哉善哉！曼殊室利，汝以大悲，劝请我说诸佛名号、本愿功德。为拔业障所缠有情，利益安乐像法转时诸有情故。汝今谛听，极善思惟，当为汝说。

△丙三、文殊领

曼殊室利言：唯然愿说，我等乐闻。

△甲二、正宗分二：初举依正名号，二明本誓利益。

△乙、今初

佛告曼殊室利：东方去此过十殑伽沙等佛土，有世界名净琉璃，佛号药师琉璃光如来、应、正等觉、明行圆满、善逝、世间解、无上士、调御丈夫、天人师、佛、薄伽梵。

问：药师在东方者，魏塘云："震为群动之首，甲木又发生之相，以药治病，贵乎起死回生，不当同金方肃杀之号。"其说然欤?

答: 八卦释经，起自李长者，此是一期之说，何必拘泥。有物于此，自东观之为西，自西观之在东。西观岂但生长，东观不定肃杀。故东方过十一殑伽沙佛土，应云西方有世界名净琉璃；西方过十一万亿佛土，应云东方有世界名曰极乐。须知诸佛有无量德，应有无量名，莫认一名而固执矣。又诸佛各有别缘，且示方位。皆悉无不竖穷横遍。故密教五大云："大悲胎藏包含万行，且在东方生长万物之首。金刚智界显现万德，且在西方成就万物之终。此是随方布教标帜，非谓真如法界定有方面。四方四佛，亦复如是，只是标帜，非谓定位。"（文）斯言得之。

问：前文殊请云："唯愿演说诸佛名号。"世尊许云：

“劝请我说诸佛名号。”何至于此，但约一佛？

答：若约《七佛经》，“七”岂非“诸”？若约今经，乃是《华严》“一身一智慧，力无畏亦然”之义。故下文云：“如我称扬药师如来所有功德，此是诸佛甚深行处。”又云：“若闻药师如来名号，此是诸佛甚深所行。”须知请诸答一，理不乖背。

△乙二、明本誓利益二：初明依正庄严，二明种种功德。

△丙初中二：初正明本愿，二明佛土及侍。

△丁初中三：初标，二列，三结。

△戊、今初

曼殊室利，彼世尊药师琉璃光如来，本行菩萨道时，发十二大愿。令诸有情，所求皆得。

问：何谓愿耶？

答：愿是要求之名。又《摩诃止观》云：“发愿者，誓也。若无誓愿，如牛无御，不知所趣。愿来持行，将至所在。”愿有四种：一、众生无边誓愿度，依苦谛立。二、烦恼无边誓愿断，依集谛立。三、法门无尽誓愿知，依道谛立。四、佛道无上誓愿成，依灭谛立。初二愿拔众生苦集二谛苦，后二愿与众生道灭二谛乐，此四为总愿。而今佛十二，弥陀四十八等，皆是别愿。《止观辅行记》云：“一切菩萨凡见诸佛，无不发于总愿、别愿。应知总，总于别；别，别于总。故彼别愿，不出四弘而缘四谛。”（文）下文十二大愿中，魏塘约四谛分，不失旨矣。

案：今据魏塘《直解》文，列表如下：

```
┌依灭谛二愿┬第一愿┐  佛道无上
│          └第二愿┴── 誓愿成 ──┐
│                               ├── 生善与乐
├依道谛三愿┬第三愿┐  法门无尽  │
│          ├第四愿┼── 誓愿知 ──┘
│          └第五愿┘
└依苦集二谛共七愿┬初先出三苦┬第六愿┐  众生无边
                 │          ├第七愿┼── 誓愿度 ┐
                 │          └第八愿┘          │ 灭
                 ├二间明集谛─第九愿──烦恼无边│ 恶
                 │                    誓愿断 ├ 拔
                 └三重出三苦┬第十愿──┐       │ 苦
                            ├第十一愿┤ 众生无边│
                            └第十二愿┴ 誓愿度 ┘
```

△戊二、列

第一大愿：愿我来世得阿耨多罗三藐三菩提时，自身光明，炽然照曜无量无数无边世界。以三十二大丈夫相、八十随好，庄严其身。令一切有情，如我无异。

第二大愿：愿我来世得菩提时，身如琉璃，内外明彻，净无瑕秽。光明广大，功德巍巍，身善安住，焰网庄严，过于日月。幽冥众生，悉蒙开晓，随意所趣，作诸事业。

问：儒胤云："初愿约应，次愿约报。"其说然欤？

答：初愿约三身：光明照耀，即报身；相好严身，即应身；其所庄严，乃是法身。次愿亦尔，"身"下三句，应也；"光"下五句，报也；所净、所住，无非法身。

第三大愿：愿我来世得菩提时，以无量无边智慧方便，令诸有情皆得无尽所受用物，莫令众生有所乏少。

问：青丘、秋篠，以第三、第四愿为世出世间门，而第三愿约人天乘者。其说然欤？

答：此说局矣。晋云："无量众生饥渴。"何隔出世耶？

问：此愿与最后二愿何异？

答：长谷云："后别，此总。"今谓不尔，皆是别愿。

此重权实二智，后在衣食，故不同也。

第四大愿：愿我来世得菩提时，若诸有情行邪道者，悉令安住菩提道中。若行声闻、独觉乘者，皆以大乘而安立之。

第五大愿：愿我来世得菩提时，若有无量无边有情，于我法中修行梵行，一切皆令得不缺戒，具三聚戒。设有毁犯，闻我名已，还得清净，不堕恶趣。

问：何谓“还得清净”？

答：因忏戒复，故云“还得”。《止观》云：“大乘许悔斯罪。罪从重缘生，还从重心忏悔，可得相治。无殷重心，徒忏无益。”（文）故欲至心发露，宜修药师妙忏。

第六大愿：愿我来世得菩提时，若诸有情，其身下劣，诸根不具，丑陋顽愚，盲聋喑哑，挛躄背偻，白癞癫狂，种种病苦。闻我名已，一切皆得端正黠慧，诸根完具，无诸疾苦。

问：第六大愿中，先列诸苦。“闻我名已”下，次第翻上。应如何分配耶？

答：青丘云云。

案：今据青丘《古迹记》文，列表如下：

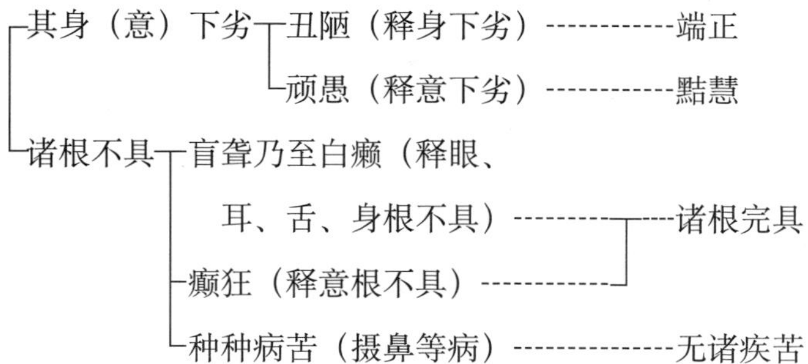

第七大愿：愿我来世得菩提时，若诸有情，众病逼切，无救无归，无医无药，无亲无家，贫穷多苦。我之名号，一经其耳，众病悉除，身心安乐，家属资具，悉皆丰足，乃至证得无上菩提。

问：第七大愿中，先列诸苦。“我之名号”下，次第翻上。应如何分配耶？

答：秋篠有释，今不取。今谓云云。

案：今据《义疏》文，列表如下：

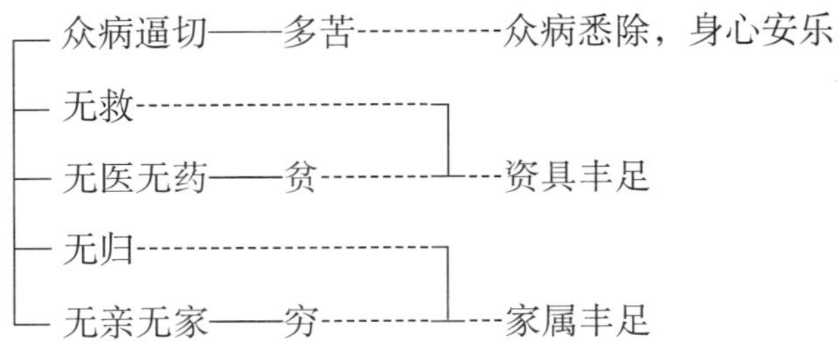

问：药师除病救苦，是其本旨。但众病悉除，足矣。云何便复证得无上菩提？

答：杨氏有释，今不取。今谓不尽一品无明，岂真众病悉除？以知证得菩提，是真除病。

第八大愿：愿我来世得菩提时，若有女人，为女百恶之所逼恼，极生厌离，愿舍女身。闻我名已，一切皆得转女成男，具丈夫相，乃至证得无上菩提。

问：杨氏谓转女成男，为来世受男身者。其说然欤？

答：不尔。长谷云："今愿现世转女成男。"其说则是，以符《七佛经》故。

第九大愿：愿我来世得菩提时，令诸有情，出魔罥网，解脱一切外道缠缚。若堕种种恶见稠林，皆当引摄置于正见。渐令修习诸菩萨行，速证无上正等菩提。

问：“渐令修习诸菩萨行，速证无上正等菩提”者。秋篠释云：“渐修菩萨十地之行，因中渐出四魔罥网，终至菩提究竟出离。”其说然欤？

答：如是释者，速证之义不成。今谓三教纡曲，故云渐修；皆入圆住，故云速证。若就圆论者，此约理外七种方便，渐入圆因，谓之渐圆。当知住前作意，未免渐修；住上任运，故速证耳。

第十大愿：愿我来世得菩提时，若诸有情，王法所录，绳缚鞭挞，系闭牢狱，或当刑戮。及余无量灾难陵辱，悲愁煎迫，身心受苦。若闻我名，以我福德威神力故，皆得解脱一切忧苦。

第十一大愿：愿我来世得菩提时，若诸有情，饥渴所恼，为求食故，造诸恶业。得闻我名，专念受持。我当先以上妙饮食，饱足其身。后以法味，毕竟安乐而建立之。

第十二大愿：愿我来世得菩提时，若诸有情，贫无衣服，蚊虻寒热，昼夜逼恼。若闻我名，专念受持，如其所好，即得种种上妙衣服，亦得一切宝庄严具、华鬘涂香、鼓乐众伎，随心所玩，皆令满足。

△戊三、结

曼殊室利，是为彼世尊药师琉璃光如来、应、正等觉，行菩萨道时，所发十二微妙上愿。

△丁二、明佛土及侍三：初总标，二别明，三结劝。

△戊、今初

复次曼殊室利，彼世尊药师琉璃光如来行菩萨道时所发大愿，及彼佛土功德庄严。我若一劫，若一劫余，说不能尽。

△戊二、别明二：初佛土，二侍者。

△己、今初

然彼佛土一向清净，无有女人，亦无恶趣及苦音声。琉璃为地，金绳界道。城阙宫阁，轩窗罗网，皆七宝成。亦如西方极乐世界功德庄严，等无差别。

问：秋篠谓净琉璃土为报土，其说然欤？

答：报土虽胜，不接凡夫。台宗以西方为同居净土。西方既尔，东方亦然。又据下文，有二菩萨次补佛处。既有补处，知同居土。

问：既与西方等无差别，何遣八士引导西方？

答：佛事门头，等无差别。随机门时，随彼所好。

△已二、侍者

于其国中有二菩萨摩诃萨，一名日光遍照，二名月光遍照，是彼无量无数菩萨众之上首，悉能持彼世尊药师琉璃光如来正法宝藏。

△戊三、结劝

是故曼殊室利，诸有信心善男子、善女人等，应当愿生彼佛世界。

△丙二、明种种功德二：初灭恶，二生善。

△丁初中四：初悭贪，二破戒，三赞毁，四乖离。

△戊初中二：初举过，二获益。

△已初中二：初生报，二后报。

△庚、今初

尔时世尊复告曼殊室利童子言：曼殊室利，有诸众生，不识善恶，唯怀贪吝，不知布施及施果报，愚痴无智，阙于信根，多聚财宝，勤加守护。见乞者来，其心不喜，设不获已而行施时，如割身肉，深生痛惜。复有无量悭贪有情，积集资财，于其自身尚不受用，何况能与父母妻子、奴婢作使，及来乞者。

△庚二、后报

彼诸有情，从此命终，生饿鬼界，或傍生趣。

问：今译本云“饿鬼”、“傍生”，晋云“地狱”，应如何合会欤？

答：境有三品，于心亦然。此约中下品说。若晋本所云，恐就心境上品言耳。

△己二、获益二：初在彼忆念，二转生获益。

△庚、今初

由昔人间，曾得暂闻药师琉璃光如来名故，今在恶趣，暂得忆念彼如来名。

△庚二、转生获益

即于念时，从彼处没，还生人中。得宿命念，畏恶趣苦，不乐欲乐，好行惠施，赞叹施者，一切所有，悉无贪惜。渐次尚能以头目手足、血肉身分，施来求者，况余财物。

问：此获益文，如何翻上而分配耶？

答：青丘云云。

案：今据青丘《古迹记》文列表如下：

┌不识恶--畏恶趣苦 不乐欲乐
├不识善 唯怀贪吝 不知布施及施果报---好行惠施 赞叹施者
├愚痴无智---得宿命念
├阙于信根 多聚财宝 勤加守护-------------一切所有 悉无贪惜
└见乞者来 其心不喜 乃至及来乞者------渐次尚能乃至况余财物

△戊二、破戒二：初举过，二获益。

△己初中二：初自过，二及他。

△庚初中二：初示过，二示报。

△辛、今初

复次曼殊室利，若诸有情，虽于如来受诸学处，而破尸罗。有虽不破尸罗，而破轨则。有于尸罗、轨则，虽得不坏，然毁正见。有虽不毁正见，而弃多闻，于佛所说契经深义，不能解了。有虽多闻，而增上慢。

△辛二、示报

由增上慢覆蔽心故，自是非他，嫌谤正法，为魔伴党。

△庚二、及他二：初现报，二后报。

△辛、今初

如是愚人，自行邪见，复令无量俱胝有情，堕大险坑。

△辛二、后报

此诸有情，应于地狱、傍生、鬼趣，流转无穷。

△己二、获益

若得闻此药师琉璃光如来名号，便舍恶行，修诸善法，不堕恶趣。设有不能舍诸恶行，修行善法，堕恶趣者，以彼如来本愿威力，令其现前暂闻名号。从彼命终，还生人趣。得正见精进，善调意乐，便能舍家，趣于非家，如来法中，受持学处，无有毁犯。正见多闻，解甚深义，离增上慢，不谤正法，不为魔伴。渐次修行诸菩萨行，速得圆满。

问：同闻药师名号，或便舍恶修善，不堕恶趣；或不能舍恶修善，先堕恶趣，乃生人趣者。是何故欤？

答：秋篠云："有情业有轻重，根有利钝。若业轻根利者，现闻佛名，即能舍恶行善，不堕恶趣。若业重根钝者，要先堕恶趣，深生厌离，更闻佛名，方生人趣。"（文）

案：此文本唐疏

问：此获益文，如何翻上而分配耶？

答：秋篠云云。

案：今据秋篠《记抄》文，列表如下：

虽于如来受诸学处，乃至而破轨则	无有毁犯
有于尸罗、轨则，乃至然毁正见	正见
有虽不毁正见，乃至不能解了	多闻，解甚深义
有虽多闻，而增上慢	离增上慢
由增上慢，乃至为魔伴党	不谤正法，不为魔伴

△戊三、赞毁三：初举过，二明报，三获益。

△己、今初

复次曼殊室利，若诸有情，悭贪嫉妒，自赞毁他。

问：青丘、秋篠、魏塘等，释“悭贪嫉妒，自赞毁他”，互有不同。今须宗何说欤？

答：诸释皆非。今据青丘释《梵网》“自赞毁他戒”云：“《瑜伽戒本》谓：为欲贪求利养、恭敬，自赞毁他，是即多分以贪究竟；若无所得，但由嫉妒，以瞋究竟。”（文）以故乃知今文所云，即是或起悭贪，或嫉妒心，而自赞毁他。其主意在自赞毁他，不在悭妒。又对余三译之文，亦应如是释也。

△己二、明报

当堕三恶趣中，无量千岁受诸剧苦。受剧苦已，从彼命终，来生人间，作牛马驼驴，恒被鞭挞，饥渴逼恼，又常负重，随路而行。或得为人，生居下贱，作人奴婢，受他驱役，恒不自在。

△己三、获益

若昔人中，曾闻世尊药师琉璃光如来名号。由此善因，今复忆念，至心归依。以佛神力，众苦解脱，诸根聪利，智慧多闻，恒求胜法，常遇善友，永断魔罥，破无明壳，竭烦恼河，解脱一切生老病死、忧悲苦恼。

△戊四、乖离二：初举过，二获益。

△己、今初

复次曼殊室利，若诸有情，好喜乖离，更相斗讼，恼乱自他。以身语意，造作增长种种恶业。展转常为不饶益事，互相谋害。告召山林树冢等神；杀诸众生，取其血肉，祭祀药叉、罗刹婆等；书怨人名，作其形像，以恶咒术而咒诅之；厌媚蛊道，咒起尸鬼，令断彼命及坏其身。

问：文云“以身语意”，如何分配上文耶？

答：青丘有释，今不取。今谓“好喜乖离”是总称耳，

“斗”是身业，“讼”是语业，“恼乱”属意。

案：“众生”，新译为“有情”。故此经中多作“有情”。亦有数处仍作“众生”者，如此段文云“杀诸众生”；

前文中第二大愿云“幽冥众生”；

第三大愿云“莫令众生”；

《悭贪章》云“有诸众生”；

后文中《阿难章》云“有诸众生”；

《救脱章》云“有诸众生”，又云“杂类众生”，又云“杀种种众生”。

此或是随宜润文，或亦疏于检校欤！

△己二、获益

是诸有情，若得闻此药师琉璃光如来名号，彼诸恶事，悉不能害。一切展转皆起慈心，利益安乐。无损恼意，及嫌恨心，各各欢悦。于自所受，生于喜足。不相侵陵，互为饶益。

△丁二、生善二：初生净土，二生善道。

△戊初中二：初举机，二明益。

△己、今初

复次曼殊室利，若有四众，苾刍、苾刍尼、邬波索迦、邬波斯迦，及余净信善男子、善女人等，有能受持八分斋戒，或经一年，或复三月，受持学处。以此善根，愿生西方极乐世界无量寿佛所，听闻正法，而未定者。

△己二、明益

若闻世尊药师琉璃光如来名号，临命终时，有八菩萨，乘神通来，示其道路。即于彼界种种杂色众宝华中，自然化生。

问：各有净土，何以示导西方耶?

答：如《心地观经》云：“或一菩萨多佛化。”是也。

问：应生极乐何品耶?

答：难以定知。或上三品，文云“具诸戒行”故。或中二品，文说持戒故。或虽秉戒而回向心弱者，生中下品，或下三品。岂止极乐，生十方者亦然。故晋本云：“若欲生十方妙乐国土者，亦当礼敬药师琉璃光佛。若欲得生兜率天上见弥勒者，亦当礼敬药师琉璃光佛。”

问：十方、兜率亦引导否?

答：或不导，经不说故。或导，愿力无边故。

△戊二、生善道二：初正明，二转报。

△己、今初

或有因此，生于天上。虽生天中，而本善根亦未穷尽，不复更生诸余恶趣。天上寿尽，还生人间。或为轮王，统摄四洲，威德自在，安立无量百千有情于十善道。或生刹帝利、婆罗门、居士、大家，多饶财宝，仓库盈溢，形相端严，眷属具足，聪明智慧，勇健威猛，如大力士。

问：何谓“因此”，及“本善根”？

答：“因此”者，秋篠云：“因此闻药师如来名故。”长谷云：“指戒善也。”今从秋篠，符晋本故。“本善根”者，秋篠云：“谓本出世善根，或闻药师如来名号善根。”今用后解。

案：秋篠二段文，皆本唐疏。

△己二、转报

若是女人，得闻世尊药师如来名号，至心受持，于后不复更受女身。

问：何谓“于后”？

答：“后”谓后报。上文第八大愿现身转者，例如《法华》龙女现身变成男子。此是后报，例如《法华·药王品》中约命终后。故《七佛经》中，前大愿云“即于现身转成男子”，此文亦云“于后”而已。

问：《七佛经》中于此文后有说咒文，他译皆无。后人常取《七佛经》中咒文及其前后之文四百余字，增入今本，谓为完足。其说然欤？

答：同是佛语，糅杂无妨。《七佛经》本，别行于世。今本不增，有何不足？如《法华经·普门品偈》，什公不译。荆溪判云：“此亦未测什公深意。”今可例云：此亦未测奘公深意也。

△甲三、流通分

问：诸师将经末“尔时阿难白佛言”去，为流通分，今何不然？

答：曼殊、救脱及以药叉发誓弘经，岂非流通？

△流通分三：初诸士发誓弘经，二佛说题名奉持，三大众闻说奉行。

△乙初中三：初曼殊发誓，二救脱明益，三药叉发誓。

△丙初中三：初对佛发誓，二如来许说，三因阿难称赞。

△丁初中二：初正誓，二利益。

△戊初中二：初闻名，二持经。

△己、今初

尔时曼殊室利童子白佛言：世尊，我当誓于像法转时，以种种方便，令诸净信善男子、善女人等，得闻世尊药师琉璃光如来名号。乃至睡中，亦以佛名觉悟其耳。

△己二、持经

世尊，若于此经受持读诵，或复为他演说开示，若自书，若教人书，恭敬尊重。以种种华香、涂香、末香、烧香、华鬘、璎珞、幡盖、伎乐，而为供养。以五色彩，作囊盛之，扫洒净处，敷设高座，而用安处。尔时四大天王与其眷属，及余无量百千天众，皆诣其所，供养守护。

问：以伎乐供佛，是何意欤？

答：《大智度论》云："问曰：诸佛贤圣是离欲人，则不须音乐歌舞，何以伎乐供养？答曰：诸佛虽于一切法中，心无所著；于世间法，尽无所须。诸佛怜愍众生故出世，应随供养者，令随愿得福故受。如以华、香供养，亦非佛所须，佛身常有妙香，诸天所不及，为利益众生故受。"

问：出家诸众，亦应以伎乐供佛欤？

答：《法华经方便品记》云："有出家内众，音乐自随，云供养者。自思己行，与何心俱。虽有此文，必须裁择，《梵网》诫制，何待固言。只恐供养心微，增己放逸，长他贪慢，敬想难成。”

△戊二、利益

世尊，若此经宝流行之处，有能受持。以彼世尊药师琉璃光如来本愿功德，及闻名号。当知是处无复横死，亦复不为诸恶鬼神夺其精气。设已夺者，还得如故，身心安乐。

问：既云“经宝流行之处”，应连向之“持经科”中，今何不尔？

答：虽蹑向云“经宝流行”，复有“及闻名号”之言，须知此举闻持之益。

△丁二、如来许说二：初略许可，二广印定。

△戊、今初

佛告曼殊室利：如是如是，如汝所说。

△戊二、广印定二：初印向持经，二印向闻名。

（文但不次耳）

△已、今初

曼殊室利，若有净信善男子、善女人等，欲供养彼世尊药师琉璃光如来者。应先造立彼佛形像，敷清净座，而安处之。散种种华，烧种种香，以种种幢幡，庄严其处。七日七夜，受八分斋戒，食清净食。澡浴香洁，着新净衣。应生无垢浊心，无怒害心，于一切有情，起利益安乐、慈悲喜舍、平等之心。鼓乐歌赞，右绕佛像。复应念彼如来本愿功德，读诵此经，思惟其义，演说开示。随所乐愿，一切皆遂。求长寿得长寿，求富饶得富饶，求官位得官位，求男女得男女。若复有人，忽得噩梦，见诸恶相，或怪鸟来集，或于住处百怪出现。此人若以众妙资具，恭敬供养彼世尊药师琉璃光如来者，噩梦恶相，诸不吉祥，皆悉隐没，不能为患。或有水、火、刀、毒、悬险、恶象、狮子、虎狼、熊罴、毒蛇、恶蝎、蜈蚣、蚰蜒、蚊虻等怖。若能至心忆念彼佛，恭敬供养，一切怖畏，皆得解脱。若他国侵扰，盗贼反乱。忆念恭敬彼如来者，亦皆解脱。

问：澡浴之文，《七佛经》云："日别三时，澡浴清净。"不繁数欤？

答：《摩诃止观》云："日三时洗浴，一日，即一实谛也。三洗，即观一实，修三观，荡三障，净三智也。”《辅行》云：“三时洗者，纵无他缘，亦须三洗，有所表故。”

问：“随所乐愿，一切皆遂，乃至得男女”之文。魏塘云：“一切皆遂句，则该四教圣贤三昧辩才、愿生佛国等出世正求。下四即遂世间浅深富寿之求。”其说然欤？

答：今谓初二句，总举。“求长”去，别列。近举寿等，岂“一切”外？若知“一切皆遂”，乃是出世正求。谁言“富”“寿”等四，但是世间倒求？文似语近，意实穷远。故释四求者，应例《观音普门品疏》释之。

问：水、火、虎、狼等文，魏塘谓：“此皆灭世间之恶，不必约《普门》烦恼业报释之。”其说然欤？

答：今谓如《请观音经》云：“一切怖畏，一切毒害，一切恶鬼、虎狼狮子，闻此咒时，口即闭塞，不能为害。”《疏》云：“一切怖畏者，一、历十种行人，各各有怖畏也；二、作恶鬼虎狼者，例如《金光明》，初地至十地，皆有虎狼狮子之难。此中十人乃无事中虎狼，约烦恼法为虎狼也。”须知但云灭世间恶，使药师利益局在界内，其咎莫大。况“一切”之言，岂止少分！

△己二、印向闻名

复次曼殊室利，若有净信善男子、善女人等，乃至尽形不事余天，唯当一心归佛法僧，受持禁戒，若五戒、十戒、菩萨四百戒、苾刍二百五十戒、苾刍尼五百戒。于所受中，或有毁犯，怖堕恶趣。若能专念彼佛名号，恭敬供养者，必定不受三恶趣生。或有女人，临当产时，受于极苦。若能至心称名礼赞、恭敬供养彼如来者，众苦皆除。所生之子，身分具足，形色端正，见者欢喜。利根聪明，安隐少病，无有非人夺其精气。

问：何谓菩萨四百戒？

答：法藏云："菩萨戒以十善为根本。言十善者：信等五根，无贪等三，及与惭愧合为十善。一一经十，合为百数。此各有四：一自持，二他持，三赞叹，四随喜。如是即成四百戒也。"（文）神谟、遁伦，皆宗此说。

问：何谓苾刍尼五百戒？

答：《南山行事钞》云："问：律中僧列二百五十戒，《戒本》具之。尼则五百，此言虚实？答：两列定数，略指而言。诸部通言，不必依数。约境明相，乃有尘沙。律中尼有三百四十八戒，可得指此而为所防。准《智论》

云：尼受戒法，略则五百，广说八万。”（文）

△丁三、因阿难称赞三：初如来问，二阿难答，三如来称赞。

△戊、今初

尔时世尊告阿难言：如我称扬彼佛世尊药师琉璃光如来所有功德。此是诸佛甚深行处，难可解了。汝为信不？

问：“诸佛甚深行处”，如何释耶？

答：《金光明经·序品》初云：“如来游于无量甚深法性诸佛行处。”并方等部，彼此义同。释迦所游，药师所住，二无差别，体性全一。故引大师彼《疏》释之。彼云：“微妙三谛，故言甚深。非是二乘、下地菩萨之所逮及，故言甚深也。又非别有一法，名为甚深。即事而真，无非实相，一色一香，莫非中道，皆中道故，即是甚深。诸佛行处者，正显佛智甚深；佛智甚深故，行处亦甚深；行处甚深故，佛智亦甚深。举函显盖，举盖显函，正在此也。”

△戊二、阿难答二：初明持经不疑，二明持名难信。

若夫持经不疑，以何持名难信？若夫持名难信，以何持经不疑？何况迹示三果，非庸常人，岂有一信一不信耶！一纵一夺，砥励后来耳。

△己、今初

阿难白言：大德世尊！我于如来所说契经，不生疑惑。所以者何？一切如来，身语意业，无不清净。世尊，此日月轮，可令堕落。妙高山王，可使倾动。诸佛所言，无有异也。

△己二、明持名难信

世尊，有诸众生，信根不具，闻说诸佛甚深行处，作是思惟：云何但念药师琉璃光如来一佛名号，便获尔所功德胜利？由此不信，返生诽谤。彼于长夜，失大利乐，堕诸恶趣，流转无穷。

△戊三、如来称赞。此中单举持名，蹑阿难答故也。文五：初反斥，二正示，三简非，四校叹，五结叹。

△己、今初

佛告阿难：是诸有情，若闻世尊药师琉璃光如来名号，至心受持，不生疑惑，堕恶趣者，无有是处。

△己二、正示

阿难，此是诸佛甚深所行，难可信解。汝今能受，当知皆是如来威力。

△己三、简非

阿难，一切声闻、独觉，及未登地诸菩萨等，皆悉不能如实信解，唯除一生所系菩萨。

问：何谓“唯除一生所系菩萨”？

答：秋篠云：“一生所系菩萨者，即一生补处菩萨，如弥勒等也。道理通论，初地以上菩萨，各得无分别智，地地别证真如法界，于佛所成名称功德，随分信解。今言唯除一生所系者，据因位之中信极者而言，以此菩萨因中见性分明，故作此说。非谓一生以外，皆不信解也。”（文）**案：**此文本唐疏。

△己四、校叹

阿难，人身难得，于三宝中信敬尊重，亦难可得。得闻世尊药师琉璃光如来名号，复难于是。

△己五、结叹

阿难，彼药师琉璃光如来无量菩萨行，无量善巧方便，无量广大愿。我若一劫，若一劫余，而广说者，劫可速尽，彼佛行愿、善巧方便，无有尽也。

问：文云“无量广大愿”者，于前十二大愿外，更有无量广大愿耶？

答：非也。凡诸菩萨，皆发总别二愿。总则四弘，别则数异。若开出之，即是无量广大愿耳。

△丙二、救脱明益三：初明救病患，二明攘灾难，三明转后报。

△丁初中二：初正向佛明，二答阿难问。

△戊初中二：初正明，二结劝。

△己初中二：初正明苦相，二略出忏仪。

（有生以来谁无病患，如薄拘罗虽无头痛，未离无明；止观十境，通称病患。蕅益所谓：“众生良药无如病。”思之思之！）

△庚、今初

尔时众中有一菩萨摩诃萨，名曰救脱，即从座起，偏袒一肩，右膝着地，曲躬合掌，而白佛言：大德世尊！像法转时，有诸众生，为种种患之所困厄，长病羸瘦，不能饮食。喉唇干燥，见诸方暗，死相现前，父母亲属、朋友知识，啼泣围绕。然彼自身卧在本处，见琰魔使，引其神识，至于琰魔法王之前。然诸有情有俱生神，随其所作，若罪若福，皆具书之，尽持授与琰魔法王。尔时彼王推问其人，算计所作，随其罪福而处断之。

问：“见琰魔使，引其神识，至于琰魔法王之前。”古疏作何释耶？

答：秋篠云：“若其患人，决定令死，则受鬼身，容可琰王别遣鬼为使，而引取之。如其未决定死，则未受鬼身，何有鬼身，有得引生人之识？不可别人之识在别鬼身中，若不在鬼使身中，识心既不孤游，云何可引得至琰魔王前？当知此是药师如来及经之威力，令得患人第六意识见分之上，起此三种行解相分：一为琰魔王，二为王使，三为己身，为自神识所依随使之行至琰王前。其实，神识未曾离身。若是本识随所舍处，则成死尸，不可说离身；若是六、七等识依本识故，而得现起；若离本识，无种子故，无由得生；是故八识俱无离身孤行之理。此盖如人梦中梦现见师僧，或复父母，遣使来唤，梦现见己身随使而行，远至师僧及父母前。当知师僧或复父母、使人、已身，皆是第六意识见分上现此三种相分，似有去来，实无去来。所以然者，以一切心及心所取境之时，非如灯明舒光照物，不同铁钳动作取物；但如明镜远照，影现镜中，如人在远，遥见日月，此亦如是。药师如来及经威力，令彼患人，见如此相，似有往来，实无往来。故《涅槃经》云：‘若有闻是《大涅槃经》，言我不用发菩提心，诽谤正法。是人梦中，见罗刹像，心中怖惧。罗刹语云：咄！善男子！汝今若不发菩提心，当断汝命。是人惶怖觉已，即发无上菩提心。是人命终，若在三恶，及在人天，续复忆念菩提之心。以是义故，是《大涅槃》威神力故，能令未发心者，作菩提因。’”

案：此文本唐疏。《义疏》云：“此是唐靖迈《疏》意。今谓”云云。兹略不录。

问：“有俱生神，随其所作，若罪若福，皆具书之，尽持授与琰魔法王。”古疏作何释耶？

答：秋篠云：“言俱生神者，若约实而言，神即识也。俱生神者，即阿赖耶识。以阿赖耶识，是受生之主，与身俱时而生，故名俱生。随诸有情所作罪福，皆熏在阿赖耶识中，故言‘随其所作，乃至皆具书之’。或是琰魔王为令罪人无有妄拒，伏本所作故，化作俱生神，从生已来书其罪福。或是药师如来及经威力，现作俱生神，书其罪福。言‘尽持授与琰魔法王’者，由阿赖耶识中，具有罪福种子为因缘，药师如来及经威力为增上缘，令罪福相分现于患人第六意识之上。令琰魔王他心智起，尽见患人罪福之相，义称‘尽持授与’。或琰魔化作俱生神，或佛及经现俱生神，授与亦然。”

案：此文本唐疏。《义疏》有别解，兹略不录。

△庚二、略出忏仪

时彼病人亲属知识，若能为彼归依世尊药师琉璃光如来，请诸众僧，转读此经，燃七层之灯，悬五色续命神幡。或有是处，彼识得还，如在梦中，明了自见。或经七日，或二十一日，或三十五日，或四十九日，彼识还时，如从梦觉，皆自忆知善不善业所得果报。由自证见业果报故，乃至命难，亦不造作诸恶之业。

问：灯七层，幡五色，有何义欤？

答：青丘有释。今谓灯有七层，应表七觉。《止观》云：“灯，即慧也。”《辅行》云：“慧灯圆照。”幡有五色，应表五阴。

问：灯幡之二，同是供具；如其表法，一是法门，一是正报，何为不齐？

答：五阴乃是四念处也，同是七科法门而已。

问：“或有是处，彼识得还，如在梦中，明了自见。”曰“或”，曰“如”，是何义欤？

答：秋篠云：“谓有实死，虽复修福，识不得还。或因修福故，彼向王使所引之识，得还身中。二理不同，故复称‘或’。”“如在”等者，秋篠云：“此亦即是梦，以梦类梦，故称为‘如’。”

案：此文本唐疏

△己二、结劝

是故净信善男子、善女人等，皆应受持药师琉璃光如来名号。随力所能，恭敬供养。

△戊二、答阿难问二：初阿难问，二救脱答。

△己、今初

尔时阿难问救脱菩萨曰：善男子，应云何恭敬供养彼世尊药师琉璃光如来？续命幡灯，复云何造？

△己二、救脱答

救脱菩萨言：大德，若有病人，欲脱病苦。当为其人，七日七夜受持八分斋戒。应以饮食，及余资具，随力所办，供养苾刍僧，昼夜六时，礼拜供养彼世尊药师琉璃光如来，读诵此经四十九遍。燃四十九灯。造彼如来形像七躯，一一像前各置七灯，一一灯量，大如车轮，乃至四十九日，光明不绝。造五色彩幡，长四十九搩手。应放杂类众生，至四十九。可得过度危厄之难，不为诸横恶鬼所持。

问：云何供养苾刍僧耶？

答：《消灾轨》云：“仍须请七僧。”今谓若随力，堪请七七僧弥善。

问：云何一一皆须四十九耶？

答：魏塘约《易经》大衍之数而释。今谓不尔。数用七者，如《成实论》广明。今皆四十九者，以复七故为数之极。例如中有不过七七。何假大衍以消今文？

问：何谓四十九搩手？

答：搩手长一尺。故晋、隋二本，及《七佛经》，皆云四十九尺。又准《七佛经》，应外造幡，故彼经云：“造杂彩幡四十九首，并一长幡四十九尺。”案：考南山、灵芝撰述，佛搩手二尺，人搩手为一尺。今约人搩手言也。搩手者，谓以大拇指与中指张开，相去之间。尺约周尺，古今人考订周尺量，有种种异说，且据清冯云鹏《金石索》中所考者，一周尺等于清工部营造尺六寸四分强，其说较为近似。

问：“应放杂类众生，至四十九。”作何释欤？

答：秋篠引唐遁伦释云：“案：《正法念处经》云：‘畜生有三十四亿种类。’此中言四十九者，应放水陆异类至四十九。”

问：生类无量，何放七七？

答：有所表故。境有齐限，心应平等。

问：文中屡列七等数字，亦皆有所表欤？

答：一一以七数者，应表七觉。智慧发生，故云“七日”；烦恼灭尽，故云“七夜”。七觉生八正道，故云“七日七夜受八斋戒”。觉觉各具七觉，故云“四十九遍”。佛之七觉，我之七觉，众生七觉，三无差别，故云“造像七躯”。觉觉各具七觉，故云“各置七灯”。

△丁二、明攘灾难二：初正明攘难，二答阿难问。

△戊初中二：初帝王，二臣民。

从重至轻，次第言之耳。魏塘云：“天子四海为家，臣妾亿兆，一人有庆，兆民赖之；四方有罪，在予一人。故岁祲民疫，皆君休戚，所当急先求忏悔者也。且药师之药，先治此人者，一是责备贤者，二是一正君而天下定之道也。”今谓非谓先治帝王之意。如《戒经》云：“欲受国王位时，受转轮王位时，百官受位时，应先受菩萨戒。”非谓受菩萨戒，先被国王，次转轮王，次及百官。况责备贤者，一正国定，功在卿相，王何独贤？隋本但王不及臣民。以故而知先治之说，不通甚矣。

△己、今初

复次阿难，若刹帝利灌顶王等，灾难起时，所谓人众疾疫难、他国侵逼难、自界叛逆难、星宿变怪难、日月薄蚀难、非时风雨难、过时不雨难。彼刹帝利灌顶王等，尔时应于一切有情，起慈悲心，赦诸系闭。依前所说供养之法，供养彼世尊药师琉璃光如来。由此善根，及彼如来本愿力故，令其国界即得安隐。风雨顺时，谷稼成熟。一切有情，无病欢乐。于其国中，无有暴恶药叉等神，恼有情者。一切恶相，皆即隐没。而刹帝利灌顶王等，寿命色力，无病自在，皆得增益。

问："依前所说供养之法"，何谓"依前"耶？

答：秋篠云："谓应依前七日七夜，自受持斋戒，乃至放杂类众生等。"

案：此文本唐疏。

问：今列七难，与《仁王经》中七难有异同欤？

答：与《仁王》有异。若类同者云云。

案：今据《义疏》文，列表如下：

┌人众疾疫难---------《仁王·护国品》云："不但护福，亦护众难，若疾病苦难。"
├他国侵逼难------┬《仁王·受持品》云："四方贼来侵国，内外贼起。"
├自界叛逆难------┘　　　　　　　　（他国即外贼，自界即内贼。）
├星宿变怪难---------彼云："二十八宿，乃至各各变现。"
├日月薄蚀难---------彼云："日月失度，乃至二三四五重轮现。"
├非时风雨难──┬风难------彼云："大风吹杀，乃至火风。"
│　　　　　　└雨难------彼云："大水漂没，乃至浮山流石。"
└过时不雨难---------彼云："天地国土亢阳，乃至万姓灭尽。"

彼又云："大火烧国"等，今文无。

△己二、臣民

阿难，若帝后妃主、储君王子、大臣辅相、中宫彩女、百官黎庶，为病所苦，及余厄难。亦应造立五色神幡，燃灯续明，放诸生命，散杂色华，烧众名香。病得除愈，众难解脱。

问：文云造幡燃灯等，与前二段文互有不同。何耶？

答：秋篠云："造幡燃灯，放生命等，具如前法。今此中有散杂色华，烧众名香，当知前二亦有；前二所有，此亦非无，绮互为文耳。"（文）今谓此中五法，皆是助行；必应称药师名，读诵此经，文不言者，助助于正。

△戊二、答阿难问：二重问答。

△己初中二：初问，二答。

△庚、今初

尔时阿难问救脱菩萨言：善男子，云何已尽之命而可增益？

△庚二、答

救脱菩萨言：大德，汝岂不闻如来说有九横死耶？

是故劝造续命幡灯，修诸福德。以修福故，尽其寿命，不经苦患。

问：何谓横死？

答：秋篠云："夫言横死者，皆不定之业，此业若有顺缘资助，则得延长；若无顺缘资助，及属违缘，则便短促。对彼顺缘，寿长为延；若无此缘，寿短横死故。是故我今劝造幡灯，修敬三宝等福德。以修福德等为资助顺益命缘故，遂使是人，尽彼先业所感寿命，终不中途更经枉横苦患也。"

△己二、第二问答二：初问，二答。

△庚、今初

阿难问言：九横云何？

△庚二、答二：初释，二结。

△辛、今初

救脱菩萨言：若诸有情，得病虽轻，然无医药及看病者；设复遇医，授以非药，实不应死而便横死。又信世间邪魔外道妖孽之师，妄说祸福。便生恐动，心不自正，卜问觅祸。杀种种众生，解奏神明，呼诸魍魉，请乞福祐。

欲冀延年，终不能得。愚痴迷惑，信邪倒见。遂令横死，入于地狱，无有出期。是名初横。二者，横被王法之所诛戮。三者，畋猎嬉戏，耽淫嗜酒，放逸无度，横为非人夺其精气。四者，横为火焚。五者，横为水溺。六者，横为种种恶兽所啖。七者，横堕山崖。八者，横为毒药、厌祷、咒诅、起尸鬼等之所中害。九者，饥渴所困，不得饮食，而便横死。

问：九横之文，古疏作何释耶？

答：初横中，秋篠云："无医药及看病者，以无资缘故而便致死。设复遇医等，以遇违缘故而便致死。"第二横中，秋篠云："佛法之宗，无有因缘终不得果。因，谓名言熏习种子。缘，有二种：一以先业缘，二由现发缘。此人今被王法诛戮，虽有名言种子为正因，及有先业为缘因，而无现在缘，如来随顺世俗，名为横死，以无现缘故。"又云："此人寿命是不定业，亦是杀生增上果；若遇顺缘修福等资助，故不受王戮，得寿命长。若不修福，攘昔杀缘，则被王戮，不得长寿，故得横死。"云云。案：秋篠释第二横已下，乃至第九横，文义相似，今不具录。唯撮要列表如下：

┌二　是杀生增上果　　　┐
├三　是逼恼他增上果　　│
├四　是焚烧有情增上果　│
├五　是漂流有情增上果　├┬若遇顺缘修福等资助------则免难
├六　是食肉有情增上果　│└如其不尔--------------------则横死
├七　是陷堕有情增上果　│
├八　是行毒药厌咒增上果│
└九　是夺有情增上果　　┘

案：上文皆本唐疏

问：何谓觅祸？

答：即下文“杀种种众生”等是。秋篠云：“何但横死而已，复由愚痴，信邪倒见，杀众生故，乃入地狱，无有出期，岂不哀哉！”

△辛二、结

是为如来略说横死，有此九种。其余复有无量诸横，难可具说。

△丁三、明转后报

复次阿难，彼琰魔王，主领世间名籍之记。若诸有情，不孝五逆，破辱三宝，坏君臣法，毁于信戒。琰魔法王，随罪轻重，考而罚之。是故我今劝诸有情，燃灯造幡，放生修福。令度苦厄，不遭众难。

问：青丘科此文为结，然欤？

答：今谓味“复次”字，非结上文。

问：此与上文何异？

答：上约病人，今约逆罪，故知非结。

△丙三、药叉发誓二：初正明誓，二佛印劝。

△丁、今初

尔时众中有十二药叉大将，俱在会坐。所谓宫毗罗大将、伐折罗大将、迷企罗大将、安底罗大将、颁你罗大将、珊底罗大将、因达罗大将、波夷罗大将、摩虎罗大将、真达罗大将、招杜罗大将、毗羯罗大将。此十二药叉大将，一一各有七千药叉以为眷属。同时举声白佛言：世尊，我等今者蒙佛威力，得闻世尊药师琉璃光如来名号，不复更有恶趣之怖。我等相率，皆同一心，乃至尽形，归佛法僧。誓当荷负一切有情，为作义利，饶益安乐。随于何等村城国邑，空闲林中，若有流布此经，或复受持药师琉璃光如来名号，恭敬供养者，我等眷属，卫护是人。皆使解脱一切苦难，诸有愿求，悉令满足。或有疾厄，求度脱者，亦应读诵此经，以五色缕，结我名字，得如愿已，然后解结。

问："以五色缕，结我名字；得如愿已，然后解结。"其仪轨如何？

答：秋篠引遁伦《疏》云："西域僧口传言，以布缕结神名字也。谓若人临厄难时，应请七僧，即请道场，令读此经四十九遍。尔时施主，为藏结缕，作新匣，长七寸，广二寸。作匣竟，施主捧匣进七僧前，至心三礼，胡跪叉手，誓愿所求。尔时，七僧一时发愿读经，一僧各读七卷，七七四十九遍竟。每一卷节，各其神名处，息读经时。施主进七僧前，以缕次第结其神名。后五神名者，七僧一时等唱，一一神名，而施主如前例结。结竟而取缕入匣闭户，然后送七僧。待其难息，若得求已；更请七僧，如前先结十二神名字，次第还解也。"案：《疏》云"每一卷节各其神名处，以缕结"者，读经七卷，即随结前七神名。又云"后五神名"者，即其余也。又云"七僧一时等唱神名"者，前已读经竟，此唯唱五神名耳。

△丁二、佛印劝

尔时世尊赞诸药叉大将言：善哉善哉！大药叉将，汝等念报世尊药师琉璃光如来恩德者，常应如是利益安乐一切有情。

△乙二、佛说题名奉持

尔时阿难白佛言：

世尊，当何名此法门？我等云何奉持？

佛告阿难：此法门名《说药师琉璃光如来本愿功德》，亦名《说十二神将饶益有情结愿神咒》，亦名《拔除一切业障》，应如是持。

问：亦名“结愿神咒”，何以今译本中无咒耶？

答：有二义：一、神将白佛乃是神咒。虽《大品经》无一真言，帝释白佛：“般若波罗蜜，是大明咒，无上明咒，无等等咒。”佛印可之。龙树释云：“谓咒术能随贪欲瞋恚自在作恶，是般若咒能灭禅定、佛道、涅槃诸着，何况贪恚粗病；是故名为大明咒，无上咒，无等等咒。”岂以无一真言而为疑耶！故隋本云“自誓”，《七佛经》云“护持”耳。二、列神将名自是神咒。如《陀罗尼集经》

“法印咒”也。

△乙三、大众闻说奉行

时薄伽梵说是语已，诸菩萨摩诃萨，及大声闻、国王、大臣、婆罗门、居士、天、龙、药叉、健达缚、阿素洛、揭路荼、紧捺洛、莫呼洛伽、人非人等，一切大众，闻佛所说，皆大欢喜，信受奉行。

《药师经析疑》终

后记

是经唐疏，今多遗佚。弘一大师暮年，据中日古德著述，编著《析疑》一卷。末附数语，以系例言，今移卷首。大师躬自署签，下注：“辛巳十月二十一日始录稿”。唯方缮数行，应泉城之请弘法而辍，旋即迁化。遗稿珍藏箧笥，知者实鲜。

按：《义疏》，日僧实观撰，共三卷。文中冠“案”字者，大师所阐释也。辛巳为一九四一年，大师年六十又二，时居温陵茀林禅苑之尊瞻堂，盖示寂之前一年也。越二十年，乃克校录。谨缀数语，用志因缘。

甲辰仲冬录者谨识

药师如来法门略录

戊寅七月在泉州清尘堂讲

药师法门依据《药师经》而建立。此土所译《药师经》有四种：

一 《佛说灌顶拔除过罪生死得脱经》一卷，即《大灌顶神咒经》卷十二，东晋帛尸梨蜜多罗译。又相传有刘宋慧简译《药师琉璃光经》一卷，今已佚失，或云即是东晋所译之《灌顶经》。

二 佛说《药师如来本愿经》一卷，隋达摩笈多译。

三 《药师琉璃光如来本愿功德经》一卷，唐玄奘译。此即现今流通本所据之译本。现今流通本与原译本稍有不同者有增文两段，一为依东晋译本补入之八大菩萨名，二为依唐义净译本补入神咒及前后文二十余行。

四 《药师琉璃光七佛本愿功德经》二卷，唐义净译。前数译惟述药师佛，此译复增六佛，故云《七佛本愿功德经》，以外增加之文甚多。西藏僧众所读诵者为此本。

修持之法具如经文所载，今且举四种如下：

一 持名，经中屡云闻名持名，因其法最为简易其所获之益亦最为广大也。今人持名者皆曰消灾延寿药师佛似未尽善，佛名惟举药师二字未能具足。佛德惟举消灾延寿四字亦多所缺略，故须依据经文而曰药师琉璃光如来斯为最妥善矣。

二 供养，如香华幡灯等。

三 诵经，及演说开示书写等。

四 持咒。

所获利益广如经文所载，今且举十种如下：

一 速得成佛，经中屡言之。

二 行邪道者令入正道，行小乘者令入大乘。

三 能得种种戒，又犯戒者还得清净不堕恶趣。

四 得长寿富饶官位男女等。

五 得无尽，所受用物无所乏少。

六 一切痛苦皆除，水火刀兵盗贼刑戮诸灾难等悉免。

七 转女成男。

八 产时无苦，生子聪明少病。

九 命终后随其所愿往生：

1．人中，得大富贵。

2．天上，不复更生诸恶趣。

3．西方极乐世界，有八大菩萨接引。

4．东方净琉璃世界。

十 在恶趣中暂闻佛名即生人道修诸善行速证菩提。

灵感事迹甚多如旧录所载，今且举近事一则如下：

泉州承天寺觉圆法师，于未出家时体弱多病，既出家后二年之内病苦缠绵诸事不顺。后得闻药师如来法门，遂专心诵经持名忏悔，精勤不懈，迄至于今，身体康健，诸事顺利。法师近拟编辑药师圣典汇集，凡经文疏释及仪轨等，悉搜集之，刊版流布，以报佛恩焉。

跋

曩余在清尘堂讲药师如来法门，后由诸善友印施讲录，其时经他人辗转抄写，颇有讹误。兹由觉圆法师捐资再版印行，请余校正原稿，广为流布。法师出家以来，于药师法门最为信仰，近拟于泉州兴建大药师寺，其愿力广大，尤足令人赞叹云。

沙门一音

药师法门修持课仪略录

己卯二月在泉州光明寺讲

药师如来法门大略，如大药师寺已印行之《药师如来法门略录》所载。

今所述者，为吾人平常修持简单之课仪。若正式供养法，乃至以五色缕结药叉神将名字法等，将来拟别辑一卷专载其事，今不述及。

欲修持药师如来法门者，应供药师如来像。上海佛学书局有石印彩色之像，可以供奉，宜装入玻璃镜中。供像之处，不可在卧室。若不得已，在卧室中供奉者，睡眠之时，宜以净布覆盖像上。

药师经，供于几上。不读诵时，宜以净布覆盖。

供佛像之室内，须十分洁净，每日宜扫地，并常常拂拭几案。

供佛之香，须择上等有香气者。

供佛之花，须择开放圆满者，若稍残萎，即除去。花瓶之水，宜每日更换。若无鲜花时，可用纸制者代之。

此外如供净水供食物等，随各人意。但所供食物，须人可食者乃供之，若未熟之水果及未烹调之蔬菜等皆不可供。

以上所举之供物，应于礼佛之前预先供好。凡在佛前供物或礼佛时，必须先洗手漱口。

此外如能悬幡燃灯尤善，无者亦可。

以下略述修持课仪，分为七门。其中礼敬赞叹供养回向发愿，必须行之。诵经持名持咒，可随己意，或惟修二法，或仅修一法，皆可。

一、礼敬

十方三宝一拜，或分礼佛法僧三拜。本师释迦牟尼佛一拜。药师琉璃光如来三拜。此外若欲多拜，或兼礼敬其他佛菩萨者，随己意增加。

礼敬之时，须至诚恭敬，缓缓拜起。万不可匆忙。宁可少拜，不可草率。

二、赞叹

礼敬既毕，于佛前长跪合掌，唱赞偈云：

归命满月界净妙琉璃尊

法药救人天因中十二愿

慈悲弘誓广愿度诸含生

我今申赞扬志心头面礼

上赞偈出药师如来消灾除难念诵仪轨。

唱赞之时，声宜迟缓，宜庄重。

三、供养

赞叹既毕，于佛前长跪合掌，唱供养偈云：

愿此香花云遍满十方界

一一诸佛土无量香庄严

具足菩萨道成就如来香

供养毕，或随己意增诵忏悔文，或可略之。

四、诵经

字音不可讹误，宜详考之。

诵经时，或跪或立或坐或经行皆可。

五、持名

先唱赞偈云：

药师如来琉璃光焰网庄严无等伦

无边行愿利有情各遂所求皆不退

续云，南无东方净琉璃世界药师琉璃光如来。以后即持念药师琉璃光如来名号一百八遍。若欲多念者，随意。

六、持咒

或据经中译音持念，或别依师学梵文原音持念，皆可。

或念全咒一百八遍。或先念全咒七遍，继念心咒一百八遍，后复念全咒七遍。心咒者，即是咒中字以下之文。

未经密宗阿黎传授，不可结手印。擅结者，有大罪。

持咒时，不宜大声，惟令自己耳中得闻。

持咒时，以坐为正式，或经行亦可。

七、回向发愿

回向与发愿大同，故今并举。其稍异者，回向须先修功德，再以此功德回向，惟愿如何云云。若先未作功德者，仅可云发愿也。

回向发愿，为修持者最切要之事。若不回向，则前所修之功德，无所归趣。今修持药师如来法门者，回向之愿，各随己意。凡药师经中所载者，皆可发之，应详阅经文，自适其宜可耳。

以上所述之修持课仪，每日行一次或二次三次。必须至心诚恳，未可潦草塞责。印光老法师云：有一分恭敬，得一分利益，有十分恭敬，得十分利益。吾人修持药师如来法门者，应深味斯言，以自求多福也。

药师如来法门一斑

己卯四月在永春普济寺讲 王世英 记

今天所讲，就是深契时机的药师如来法门。我近年来与人谈及药师法门时，所偏注重的有几样意思，今且举出，略说一下。

药师法门甚为广大，今所举出的几样，殊不足以包括药师法门的全体，亦只说是法门的一斑了。

一、维持世法

佛法本以出世间为归趣，其意义高深，常人每难了解。若药师法门，不但对于出世间往生成佛的道理屡屡言及，就是最浅近的现代实际上人类生活亦特别注重。如经中所说"消灾除难，离苦得乐，福寿康宁，所求如意，不相侵陵，互为饶益"等，皆属于此类。就此可见佛法亦能资助家庭社会的生活，与维持国家世界的安宁，使人类在这现生之中即可得到佛法的利益。

或有人谓佛法是消极的、厌世的、无益于人类生活的，闻以上所说药师法门亦能维持世法，当不至对于佛法再生种种误解了。

二、辅助戒律

佛法之中是以戒为根本的，所以佛经说："若无净戒，诸善功德不生。"但是受戒容易，得戒为难，持戒不犯更为难。今若能依照药师法门去修持力行，就可以得到上品圆满的戒。假使于所受之戒有毁犯时，但能至心诚恳持念药师佛号并礼敬供养者，即可消除犯戒的罪，还得清净，不至再堕落在三恶道中。

三、决定生西

佛法的宗派非常之繁，其中以净土宗最为兴盛。现今出家人或在家人修持此宗，求生西方极乐世界者甚多。但修净土宗者，若再能兼修药师法门，亦有资助决定生西的利益。依《药师经》说："若有众生能受持八关斋戒，又能听见药师佛名，于其临命终时，有八位大菩萨来接引往西方极乐世界众宝莲花之中。"依此看来，药师虽是东方的佛，而也可以资助往生西方，能使吾人获得决定往生西方的利益。

再者，吾人修净土宗的，倘能于现在环境的苦乐顺逆一切放下，无所挂碍，则固至善。但是切实能够如此的，千万人中也难得一二。因为我们是处于凡夫的地位，在这尘世之时，对于身体衣食住处等，以及水火刀兵的天灾人祸，在在都不能不有所顾虑；倘使身体多病，衣食住处等困难，又或常常遇着天灾人祸的危难，皆足为用功办道的障碍。若欲免除此等障碍，必须兼修药师法门以为之资助，即可得到《药师经》中所说“消灾除难离苦得乐”等种种利益也。

四、速得成佛

《药师经》决非专说世间法的。因药师法门惟是一乘速得成佛的法门，所以经中屡云：“速证无上正等菩提，速得圆满”等。

若欲成佛，其主要的原因，即是“悲智”两种愿心。《药师经》云：“应生无垢浊心，无怒害心，于一切有情起利益安乐慈悲喜舍平等之心”就是这个意思。前两句从反面转说，“无垢浊心”就是智心，“无怒害心”就是悲心。下一句正说，“舍”及“平等之心”就是智心，余属悲心。

悲智为因，菩提为果，乃是佛法之通途。凡修持药师法门者，对于以上几句经文尤宜特别注意，尽力奉行。

假使不如此，仅仅注意在资养现实人生的事，则惟获人天福报，与夫出世间之佛法了无关系。若是受戒，也不能得上品圆满的戒。若是生西，也不能往生上品。

所以我们修持药师法门的，应该把以上几句经文特别注意，依此发起“悲智”的弘愿。假使如此，则能以出世的精神来做世间的事业，也能得上品圆满的戒，也能往生上品，将来速得成佛可无容疑了。

药师法门甚为广大，上所述者，不过是我常对人讲的几样意思。将来暇时，尚拟依据全部经义，编辑较完备的药师法门著作，以备诸君参考。

最后，再就持念药师佛名的方法，略说一下。念佛名时，应依经文，念曰“南无药师琉璃光如来”，不可念“消灾延寿药师佛”。

佛说八大人觉经释要

佛说八大人觉经原文

后汉·沙门安世高 译

为佛弟子，常于昼夜，至心诵念八大人觉。

第一觉悟 世间无常，国土危脆。四大苦空，五阴无我。生灭变异，虚伪无主。心是恶源，形为罪薮。如是观察，渐离生死。

第二觉知 多欲为苦。生死疲劳，从贪欲起。少欲无为，身心自在。

第三觉知 心无厌足，唯得多求，增长罪恶。菩萨不尔，常念知足，安贫守道，唯慧是业。

第四觉知 懈怠堕落。常行精进，破烦恼恶。摧伏四魔，出阴界狱。

第五觉悟 愚痴生死。菩萨常念，广学多闻，增长智慧，成就辩才，教化一切，悉以大乐。

第六觉知 贫苦多怨，横结恶缘。菩萨布施，等念怨亲，不念旧恶，不憎恶人。

第七觉悟 五欲过患。虽为俗人，不染世乐。常念三衣、瓦钵、法器，志愿出家，守道清白，梵行高远，慈悲一切。

第八觉知 生死炽然，苦恼无量。发大乘心，普济一切。愿代众生受无量苦，令诸众生毕竟大乐。

如此八事 乃是诸佛菩萨大人之所觉悟。

精进行道，慈悲修慧，乘法身船，至涅槃岸。

复还生死，度脱众生，以前八事，开导一切。

令诸众生，觉生死苦，舍离五欲，修心圣道。

若佛弟子，诵此八事，于念念中，灭无量罪。

进趣菩提，速登正觉。永断生死，常住快乐。

释要

佛（释迦）说八（八种）大人（诸佛菩萨）觉（觉悟、觉知）经（梵语“修多罗”之译意）

诸佛、诸大菩萨，昔已觉悟此八种事，而依此修行，乃渐证入佛菩萨位也。

此经全文分为三章：前一行总标，后六行结叹，中间之文即别列。于别列中，再分为八节。

先讲第一章总标

为佛弟子（出家或在家已皈依佛者），常于昼夜，至心诵念，八大人觉。

以下第二章别列八节。第一节为主要，最宜注意，故须详释之。

第一节　无常无我觉

今先释“无常无我”四字。以此四字分括经文如下：

无常　即经云：“世间无常，国土危脆。”

“无常”者，时时变化。此义易知，无须详释。

无我　即经云：“四大苦空，五阴无我。生灭变异，虚伪无主。”

此义难解，详释如下。

总论世间一切万法，不出“色”“心”。

色　有形质有阻碍，无知觉之用者，谓之“色”。经云“四大”，又“五阴”中之“色阴”，皆属于此。

心　反之而无形质阻碍，有知觉之用者，谓之“心”。

经云“五阴”中之“受想行识”四阴，皆属于此。

前引经文“四大”“五阴”之名，今预释其义如下：

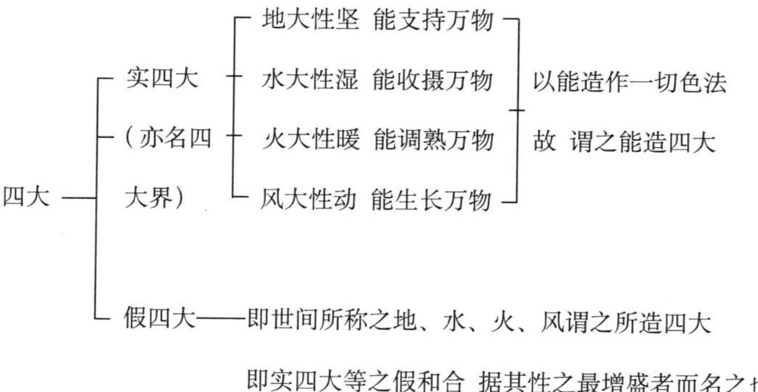

四大又可分为二
- 内四大 即正报之人身。
  “正报”者 五阴身心也
- 外四大 即依报之诸色。“依报”者 世间国土、家屋、衣食等

“四大”之解释甚繁，今且略述如此。

五阴 “阴”者，盖覆也，音、义与“荫”同。由此五法盖覆真性，不能显现，故名曰“阴”。新译为“五蕴”。“蕴”者，积聚也。诸法和合，略为一聚，故称为“蕴”。

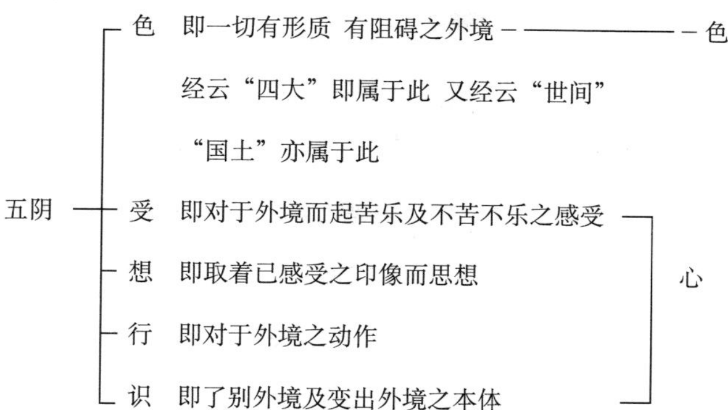

经文“无我”之义，今预释如下。

“我”者，有常一之体，及主宰之用，乃可谓之为“我”。

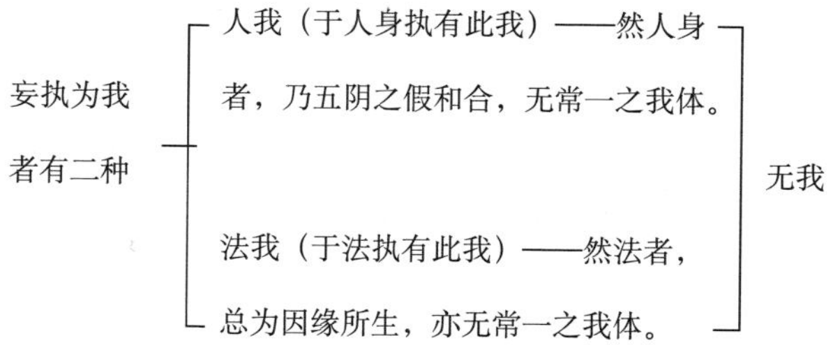

以上释此节科文“无常无我”义竟。

以下正释经文：

第一觉悟

（以下八节，或作“觉悟”，或作“觉知”，乃译文互用也。）

世间无常等二句

四大苦空等六句——“四大”可以并入“五阴”，因“四大”即属于“五阴”中之“色阴”故。

于经文可作“五阴苦空、无我”等，而连续观之。

苦　佛谓世间有八苦：生、老、病、死、爱别离、怨憎会、求不得、五阴炽盛。此第八五阴炽盛苦，为一切诸苦之本。即吾人现前之起心动念，及动作云为，皆是未来得苦之因也。因果牵连，相续不断，永无解脱，故云“苦”也。

空　诸法皆假合而成，各无实体，故云“空”也。

无我　见前解。

生灭　五阴色心，从无始来，以因缘合散力故，念念生灭，相续无穷，有如流水，亦如灯焰。

变异　刹那刹那，变迁转异。

虚伪　虚者不实，伪者非真。

无主　既非常一之体，岂有主宰之用。

心是恶源，形为罪薮　上句约心而言，下句兼身、心而言。经文唯云“形”者，略也。

心是恶源　既执五阴假合之身心，妄谓是我。宝此我故，即因此而心起贪、嗔、痴三毒之烦恼。

- 贪　贪一切名利之事，欲以荣之。
- 嗔　嗔一切违情之境，恐损害之。
- 痴　愚痴之情，非理计较。

形为罪薮　既由心起三毒烦恼。即依身、口、意造种种有漏之染业，而受种种苦乐之果报。

- 恶　业　因三毒猛盛而造，报在四恶道。
- 善　业　因贪富贵等之乐而造，报在人道及六欲天等。
- 不动业　因贪禅定之乐而造，报在色、无色天等。

以上所述，由烦恼而造业，由业而感报。于其感报所受之五阴身心，还执为我，仍起贪嗔痴三毒而造业而受报。如是世世生生，轮转不绝，所谓人生之黑幕，不过如此而已。

以下续讲后二句。此二句，教人修观获益也。

如是观察，渐离生死　既已觉悟上文所示之理，即依是而修“无我”等观，则身心之妄执渐轻，自可渐离生死矣。

生死者，随业轮转于六道也。或问：若离生死，岂非弃舍众生，自求安乐乎？答：非也。观经末之文可知。

已上第一节讲毕。

听众或应于前所云“空”“无我”等而怀疑问。谓既一切皆空，则不须认真做事。何以今见学佛法者，于保护国土、利益众生等事犹十分努力，认真苦干耶？今于此略解释之。佛法所以云“空”“无我”者，意在破除常人所执之小我，将其多生以来自私自利之卑劣丑陋之恶习惯彻底消灭。然后以真实光明之态度，于世间一切之事皆认真实行，勇猛精进，决无倦怠，虽丧身命，亦不顾惜。

故佛经之体裁，大半皆先说空理，然后再广列应行之事。此经亦然。第二节至第八节，皆示所应行之事，绝非以空为究竟也。古人云：“上智知空而进德，下愚知空而废业。”即此义也。若执空以为究竟，则佛法所绝不许，斥为“着空魔”，斥为“堕顽空”。由此空见而拨无因果，即造极恶之重业矣。是事关系甚大，故略为解释，以息群疑。

第二节　常修少欲觉

以下七节每节中皆可分为“示过”“止行”两段

生死疲劳，轮回六道不绝也。

无为，即是无我之理。能修少欲，则可以悟无为而身心得自在矣。

第三节　知足守道觉

唯慧是业　“慧”者，如第一节所示。非世俗之智慧也。

第四节　当行精进觉

烦恼　四魔　阴界　“烦恼”者，见思二惑。“四魔”者，一烦恼魔，二五阴魔，三死魔，四天魔。“阴”者五阴。“界”者十八界。其义甚繁，不能详释。约大意而言，此指精进用功时渐次所脱离之种种障碍也。

第五节　多闻智慧觉

愚痴生死　因愚痴而流转轮回

广学多闻　正约佛法而言。若已通佛法者，亦可兼学世俗学问，以为弘扬佛法之工具。

智慧　如第一节所示。

辩才　善巧说法之才能也。已得智慧者乃有之。与世俗之口才大异。

大乐　指成佛而言，即是佛果所具之德也。非世俗之乐。

第六节　布施平等觉

旧恶　约已改过者言。佛谓能改过者是谓智人。

恶人　约未改过者言。其人即无一毫之善可取，亦应观其佛性而赞叹之。不应起嗔心。

第七节　出家梵行觉

五欲　财、色、饮食、名、睡眠。

三衣　五衣、七衣、大衣。

守道等三句　上二句自行，下一句化他。

守道清白　趣向菩提，不杂名利心。

梵行高远　唯求佛果，不起二乘心。

第八节　大心普济觉

大乐　如前释

第三章结叹又分为四节。

第一节　结成名义

如此八事，（乃至）之所觉悟。

第二节　结成自觉功德

精进行道，（乃至）至涅槃岸。

法身船　指所悟性德。

涅槃岸　指修德所显。“涅槃”者，此云“真解脱”，解脱世间一切缠缚而已。若云消极，若云死灭，则大误矣。

第三节　结成觉他功德

复还生死，（乃至）修心圣道。

复还生死，度脱众生　前经云“渐离生死”，又云“出阴界狱”等。或疑是为弃舍众生，自求安乐。今阅此文，应知不尔。依佛法之常途次第，先能自觉，乃可觉他。上节之文，已明究竟解脱生死，自觉圆满。故此节文，即明复还生死，而觉他也。若不能彻底真实自觉，而能彻底真实觉他者，无有是处。

第四节　结成诵念功德

即前文云“至心诵念八大人觉”也

若佛弟子，（乃至）常住快乐。

快乐　与前“大乐”同

已上略释全经竟

《地藏菩萨九华垂迹图》赞

壬申仲冬，余来禾岛，始识世侯居士。时方集录《地藏菩萨圣德大观》。居士割指沥血，为绘圣像，捧持入山。余感其诚，因请续画“九华垂迹”。尔后世侯往青阳觐礼圣迹，复游钱塘、富春。逮于四月，藻绘已讫。余为忭喜，略缀赞词，并辑一帙。冀以光显往迹，式酬圣德焉耳。于时后二十二年岁次癸酉闰五月，住温陵大开元寺尊胜院结夏安居。

大华严寺沙门弘一演音

一、示生王家

佛灭度后千五百年，地藏菩萨降迹新罗王家。姓金，名乔觉。躯体雄伟，顶耸奇骨。尝自诲曰：“六籍寰中，三清术内，唯第一义与方寸合耳。”赞曰：

天心一月，普印千江，菩萨度生，遍现十方。

此土垂迹，盖唯唐代，示生新罗，王家华裔。

幼而颖悟，力敌十夫，披弘誓铠，戴智慧珠。

二、航海入唐

唐高宗永徽四年，菩萨二十四岁（今列纪年，依《神僧传》，较《宋高僧传》先六十余年。良由传闻有异，纪载乃殊耳），落发。携白犬“善听”航海入大唐国。赞曰：

示现出家，而得解脱，乃眷唐土，涉海西发。

一帆破浪，万里乘风，大哉无畏，为世之雄。

三、振锡九华

菩萨至江南池州东青阳县九华山，而好乐之。径造其峰，觅得石洞，遂居焉。赞曰：

江南山青，九华殊胜，乃凌绝顶，披榛辟径。

有谷中地，可以栖迟，在山之阳，在水之湄。

四、闵公施地

阁老闵让和，青阳人，九华山主也。菩萨向乞一袈裟地，公许之。衣张，遍覆九华。遂尽喜舍。公子求出家，名曰“道明”。今圣像左右侍者，道明及闵公也。赞曰：

大士神用，不可思议，遍覆九华，一袈裟地。

檀那功德，奕叶垂芳，常侍大士，庄严道场。

五、山神涌泉

菩萨尝为毒螫。俄有妇人作礼馈药，云：“小儿无知，愿出泉资用，以赎其过。”妇，山神也。赞曰：

九华山中，有泉甘洌，匪以人力，而为浚渫。

繄昔山灵，点石神工，清泉潺潺，萦带高峰。

六、诸葛建寺

村父诸葛节，率群老自麓登高。见菩萨独居石室，有鼎折足，以白土和少米烹食之。相惊叹曰：“和尚如斯苦行，我等山下列居咎耳。”遂共建寺。不累载，成大伽蓝。赞曰：

空山无人，云日绮靡，村老相寻，探幽戾止。

乃构禅宇，龙桷宝梁，胜境巍巍，普放大光。

七、东僧云集

新罗僧众闻之，相率渡海请法。其徒且多，食有未足。菩萨乃发石得土，色青白，不碜如面，聊供众食。赞曰：

化协神州，风行东国，缁伍云集，禀道毓德。

有法资神，无食资身，号枯槁众，为世所尊。

八、现入涅槃

玄宗开元二十六年(《宋高僧传》作德宗贞元十九年),七月三十夜,召众告别,跏趺示寂。时山鸣石陨,扣钟嘶嗄,群鸟哀啼。春秋九十九。赞曰:

法身常住,言相悉绝,随众生心,示现生灭。
化事既息,应尽源还,灵场终古,永镇名山。

九、造立浮图

肃宗至德二年,示寂后二十岁。建塔南台。塔成,发光如火。因名岭曰"神光"。赞曰:

树窣堵波,供养舍利,法化常存,真丹圣地。
神光岭表,青阳江头,灵辉仰瞻,万祀千秋。

十、信士朝山

菩萨垂迹九华,迄今千载。信心缁素,入山顶礼者,接踵而至,岁无虚日焉。赞曰:

慈风长春,慧日永曜,此土缘深,常被遗教。
若川趣海,若星拱辰,万流稽首,四方归仁。
我抒颛毫,式扬圣业,以报慈恩,而昭来叶。
一切功德,回施含灵,同生安养,共利有情。

地藏菩萨之灵感

癸酉四月初七日在万寿岩讲稿

地藏菩萨广大灵感，为诸大菩萨中第一，其灵感之益见于各经中者甚多，今且举《地藏菩萨本愿经》中“二十八种利益”略讲之。

佛言：若未来世，有善男子、善女人，见地藏形像，及闻此经，乃至读诵，香华、饮食、衣服、珍宝布施供养，赞叹瞻礼，得二十八种利益。

一者天龙护念

以前为恶鬼神等随逐，今则不然。

二者善果日增

恶鬼神随逐，则起恶心，行恶事，令恶果日增。今则不然。

三者集圣上因

若行善而不发愿回向，仅成人天之因。今则不然。

四者菩提不退　五者衣食丰足　六者疾疫不临

七者离水火灾　八者无盗贼厄　九者人见钦敬

十者神鬼助持　十一者女转男身（或来生或今生）

十二者为王臣女　十三者端正相好　十四者多生天上

十五者或为帝王　十六者宿智命通　十七者有求皆从

十八者眷属欢乐　十九者诸横消灭　二十者业道永除

二十一者去处尽通　二十二者夜梦安乐

二十三者先亡离苦　二十四者宿福受生

未发愿求生西方者，如前所说，生天上，为帝王，为王臣女等。今则不然。

二十五者诸圣赞叹　二十六者聪明利根

二十七者饶慈愍心　二十八者毕竟成佛

以上所举者，仅二十八种利益。据实言之，所得利益无量无边。二十八种，为其利益最大，且为常人所最易了解者。且举此，令人生信仰心耳。

又须知如是种种利益，皆真实不虚。其有虽礼敬供养地藏菩萨，而未能获得如是利益者，皆因诚心未至也。倘能一心至诚礼敬供养，决定能获如是利益。

二十八种中，第八为“无盗贼厄”。

余于数年前曾亲历之，今愿为诸仁者略说其事：

余于在家之时，房内即供养地藏菩萨圣像。香烛供奉，信心甚诚。出家以后，随所住处，皆供奉地藏菩萨。距今七年以前，余在杭州乡间某小寺过夏。寺中正房三间，各分前后，隔成六间。上有楼，藏蓄物品，无人居住。楼下，中间前为大殿，后为客堂。上首前后二间，余居之。下首前后二间，本寺老和尚居之，楼梯即在其房中。其时老和尚抱病甚重，卧床不起。此外尚有出家者二人、在家者一人，分居客堂前小屋中。前面大门永久不开，皆由客堂侧之后门进出。

一日，有客人来，见外墙角有大石，告余曰："此应是贼盗欲入而未得也。"余闻其言，即知注意。因将存置楼上之物，移入房内。并将各房之窗闩寻出，余室皆闩好（因以前各窗皆可随意自外开闭），并以所余之闩，转交诸师，令彼等亦各安竖，又警其注意。奈彼不信，遂即置之。

是夕，照例持诵地藏菩萨名号，心甚安静。及入夜，余睡眠甚安。但于中夜之时闻楼上有数人行走之声，又闻老和尚说话。余以为老和尚扶病上楼，检点门窗，预防盗入也。

不久，余即睡去。次日晨起，如常开门，见客堂中满地诸物，狼藉不堪。他人即告余云：“汝尚不知夜间之事，汝实有福也。”遂续告余云：夜间有强盗数人执刀杖等逾墙而入。先至小房，令出家者二人、在家者一人起床。并检觅彼等室中之银钱，及在家人之衣服一件，悉已取去。后以刀逼迫彼等，令带往老和尚处。彼等不得已，乃同往见老和尚。盗遂令老和尚偕往楼上，开橱门，盗乃取洋二百余元。又于楼上所存各物皆加检查，有欲者随意携去。后乃下楼。

盗等以为全寺诸屋中，唯有余所居之屋未经检查，遂尽力拨门，又用木棍杵之，历一小时许而不能开。（盗所拨者后室之门，余居前室，故不得闻。前室另有二门，在大殿侧，而盗等不知也。）又欲从窗而入。因内已闩，自外不能开。遂屡击玻璃，而玻璃不破。盗等精疲力竭，仍不得入余房中。时天已将晓，彼等乃相率而去。

以上之事，皆由同居出家者二人为余述者。想与当时之情形相符也。此是余自己经历之一事，为“二十八种利益”之中第八“无盗贼厄”也。

诸君倘能自今以后，发十分至诚之心礼敬供养地藏菩萨，则于二十八种利益必能一一具获，决定无疑。此则余可为诸君预庆者也。

余述地藏菩萨灵感已竟。

请维那师领众诵地藏菩萨圣号及以回向。

回向，用“愿以此功德”偈。

普劝净宗道侣兼持诵《地藏经》

庚辰地藏诞日在永春讲 王梦惺记

予来永春，迄今一年有半。在去夏时王梦惺居士来信，为言拟偕林子坚居士等将来普济寺，请予讲经。斯时予曾复一函，俟秋凉后即入城讲《金刚经》大意三日。及秋七月，予以掩关习禅，乃不果往。日昨梦惺居士及诸仁者入山相访，因雨小住寺院，今日适逢地藏菩萨圣诞，故乘此胜缘，为讲净宗道侣兼持诵《地藏经》要旨，以资纪念。

净宗道侣修持之法，固以净土三经为主。三经之外，似宜兼诵《地藏经》以为助行。因地藏菩萨，与此土众生有大因缘。而《地藏本愿经》，尤与吾等常人之根器深相契合。故今普劝净宗道侣，应兼持诵《地藏菩萨本愿经》。谨述旨趣于下，以备净宗道侣采择焉。

一、净土之于地藏，自昔以来，因缘最深。而我八祖莲池大师，撰《地藏本愿经》序，劝赞流通。逮我九祖蕅益大师，一生奉事地藏菩萨，赞叹弘扬益力。居九华山甚久，自称为“地藏之孤臣”。并尽形勤礼地藏忏仪，常持地藏真言，以忏除业障，求生极乐。又当代净土宗泰斗印光法师，于《地藏本愿经》尤尽力弘传流布，刊印数万册，令净业学者至心读诵，依教行持。今者窃遵净宗诸祖之成规，普劝同仁兼修并习。胜缘集合，盖非偶然。

二、地藏法门以三经为主。三经者：《地藏菩萨本愿经》《地藏菩萨十轮经》《地藏菩萨占察善恶业报经》。《本愿经》中虽未显说往生净土之义，然其他二经则皆有之。《十轮经》云：“当生净佛国，导师之所居。”《占察经》云：“若人欲生他方现在净国者，应当随彼世界佛之名字，专意诵念，一心不乱，如上观察者，决定得生彼佛净国。”所以我莲宗九祖蕅益大师，礼地藏菩萨占察忏时发愿文云：“舍身他世，生在佛前，面奉弥陀，历事诸佛，亲蒙授记，回入尘劳，普会群迷，同归秘藏。”由是以观，地藏法门实与净宗关系甚深，岂唯殊途同归，抑亦发趣一致。

三、《观无量寿佛经》，以修三福为净业正因。三福之首，曰孝养父母。而《地藏本愿经》中，备陈地藏菩萨宿世孝母之因缘。故古德称《地藏经》为“佛门之孝经”，良有以也。凡我同仁，常应读诵《地藏本愿经》，以副《观经》孝养之旨。并依教力行，特崇孝道，以报亲恩，而修胜福。

四、当代印光法师教人持佛名号求生西方者，必先劝信因果报应，诸恶莫作，众善奉行，然后乃云：“仗佛慈力，带业往生。”而《地藏本愿经》中，广明因果报应，至为详尽。凡我同仁，常应读《地藏本愿经》，依教奉行，以资净业。倘未能深信因果报应，不在伦常道德上切实注意，则岂仅生西未能，抑亦三涂有分。今者窃本斯意，普劝修净业者，必须深信因果，常检点平时所作所为之事。真诚忏悔，努力改过。复进而修持五戒十善等，以为念佛之助行，而作生西之资粮。

五、吾人修净业者，倘能于现在环境之苦乐顺逆一切放下，无所挂碍。依苦境而消除身见，以逆缘而坚固净愿，则诚甚善。但如是者，千万人中罕有一二。因吾人处于凡夫地位，虽知随分随力修习净业，而于身心世界犹未能彻底看破，衣食住等不能不有所需求，水火刀兵饥馑等天灾人祸亦不能不有所顾虑。倘生活困难，灾患频起，即于修行作大障碍也。今若能归信地藏菩萨者，则无此虑。依《地藏经》中所载，能令吾人衣食丰足，疾疫不临，家宅永安，所求遂意，寿命增加，虚耗辟除，出入神护，离诸灾难等。古德云：身安而后道隆。即是之谓。此为普劝修净业者，应归信地藏之要旨也。

以上略述持诵《地藏经》之旨趣。义虽未能详尽，亦可窥其梗概。惟冀净宗道侣，广为传布。于《地藏经》至心持诵，共获胜益焉。

劝人听钟念佛文

近有人新发明听钟念佛之法，至为奇妙。今略述其方法如下，修净业者，幸试用之；并希以是广为传播焉。

凡座钟挂钟行动之时，若细听之，作丁当丁当之响（丁字响重，当字响轻）。即依此丁当丁当四字，设想作阿弥陀佛四字。或念六字佛者，以第一丁字为“南无”，第一当字为“阿弥”，第二丁字为“陀”，第二当字为“佛”。亦止用丁当丁当四字而成之也。又倘以其转太速，而欲迟缓者，可加一倍，用丁当丁当丁当丁当八字，假想作阿弥陀佛四字，即是每一丁当为一字也。或念六字佛者，以第一丁当为“南无”，第二丁当为“阿弥”，第三丁当为“陀”，第四丁当为“佛”也。

绘图如下：

迟缓念法	普通念法
四字佛	四字佛
阿 ┌丁 └当 弥 ┌丁 └当 陀 ┌丁 └当 佛 ┌丁 └当	阿——丁 弥——当 陀——丁 佛——当
六字佛 南——丁 无——当 阿——丁 弥——当 陀 ┌丁 └当 佛 ┌丁 └当	六字佛 南 无 ┐丁 阿 弥 ┐当 陀——丁 佛——当

所用之钟，宜择丁当丁当速度调匀者用之。又欲其音响轻微者，可以布类覆于其上。（如昼间欲其音大者，将布撤去。夜间欲其音小者，将布覆上）

初学念佛者若不持念珠记数，最易懈怠间断。若以此钟时常随身，倘有间断，一闻钟响，即可警觉也。又在家念佛者，居室附近，不免喧闹，若摄心念佛，殊为不易。今以此钟置于身旁，用耳专听钟响，其他喧闹之声，自可不至扰乱其耳也。又听钟工夫能纯熟者，则丁当丁当之响，即是阿弥陀佛之声。钟响佛声，无二无别。钟响则佛声常现矣。

普陀印光法师《复永嘉论月律师函》云："凡夫之心，不能无依，而娑婆耳根最利。听自念佛之音亦亲切。但初机未熟，久或昏沉，故听钟念之，最为有益也。"

注：此文原载《世界居士林林刊》第十七期，题上有"论月大师"四字。"论月"即老人别署。老人盛倡此法，而阅者不多，谨录于此。

剃发仪式
出家落发仪

壬午年七月二十一日教演于泉州温陵养老院

附二 《 剃度仪式 》

弘一律师编定《出家落发仪删定本》

《剃发仪式》一卷 宋 · 灵芝律师宗行事钞撰述

▲其中阇梨及引请师开示等文，且举一例。今人用时，宜观机而酌定之，应令行者了解其意；若依文谨诵，茫然莫解，则徒劳无益。

▲又原定仪式，与现时丛林习惯有碍者，亦略改之。于彼原文，亦稍删润。匪敢擅窜古本，亦欲今人能依此行，广为流通，无所滞耳。

一、 选处设座

据律，令在露地，洒以香水，周匝七尺，四角悬幡等；今时多在大殿，或在法堂，亦无不可。

●和尚及阇梨二师之座，当须左右相对。今多背佛像而坐，大乖尊敬，罪过匪轻。南山律中，屡痛戒之。诸有智者，幸宜改悛。

●应预以缦衣一件，置于和尚座前。

●众僧坐处，随宜铺设。

行者应预洗浴着俗人净衣顶鬓留少发，立于殿堂外。

二、师僧入堂

打钟集僧，众人礼佛竟。和尚及阇梨二师，至佛前，拈香礼佛。

●二师礼佛时，大众同唱供养偈云：

戒香定香解脱香，光明云台遍法界，供养十方无量佛，见闻普熏证寂灭。（或依常例改唱“卢香赞”亦可。）

二师即登本座，僧众随坐。

三、白众召入

阇梨云：敬白大众，今有某寺某甲（若是当处，则改云当寺或本寺）厌世出家归心三宝，将从和尚乞求剃发；今令教授座主引入道场与其披剃。

教授座主（今时谓引请师或引礼师）即从座起，至众前，合掌揖僧竟；即出众去，引彼行者。

四、入众请师

引请师引前，行者后随，至佛前，教行者作礼已；复引至和尚前，行者作礼已；长跪合掌。

引请师云：夫以儒敦事父，惟重于成身。释制依师，务存于学道。庶使四仪轨度，借此以琢磨；五分法身因兹而成立。理须竭诚事奉，克志陈词，恐汝未能，我今教汝。

大德一心念。我某甲今请大德为和尚，愿大德为我作和尚，我依大德故，得剃发出家，慈悯故。（三说）

和尚告云：可为汝作剃发和尚。

次又引至阇梨前，行者作礼已长跪合掌。

引请师云：夫以厌处凡流，欣参宝位，将剪除于俗态，理宜警策于蒙心。矧在中人，必由名匠。今为汝请某人作剃发阿阇梨；此人诲人不倦，接物在方；故须专禀一心，恭陈三请。恐汝未能，我今教汝。

大德一心念。我某甲今请大德为剃发阿阇梨，愿大德为我作剃发阿阇梨，我依大德故，得剃发出家，慈悯故。（三说）

阇梨告云：可为汝作剃发阇梨；所有教示，须当谛听。

五、辞亲脱素

阇梨云：出家之人，高超俗表，为世福田。君不得而臣，父不得而子。应受人天供养；是故剃发着袈裟已，至于君父尚无设礼之义，况余人乎？然父母生汝，养育之恩；当往显处，拜辞父母尊长竟；却入道场，为汝落发。

言讫，行者即起。引请师引出阶庭之下，于彼父母尊长前，行者作礼已，长跪合掌。

引请师教唱辞亲偈云：

流转三界中，恩爱不能脱，弃恩入无为，真实报恩者。

唱偈讫，行者即起。除俗衣，着僧服。但不着袈裟。

六、策导礼佛

引礼师复引入众。至阇梨前，行者长跪合掌。

阇梨云：善男子谛听。六道之中，人身难得。人伦之中，出家者难。汝今生处人道，值佛出家；自非宿植业深，何由至此？当须建出家心，立丈夫志，誓勤学道以求解脱。南山律云：真诚出家者，怖四怨之多苦，厌三界之至爱，舍五欲之深着；故知一切众生，系属于四怨，恋着于三界，情缠于六亲，心耽于五欲；由是流转生死，经百千劫，舍身受身，无由解脱。汝当舍诸虚妄，回向真实。持戒修定习慧，行六度万行，学无量法门。于末世中，建立法幢，续佛慧命，令三宝不断，使众生获益；若能如是，是名真出家。可以为六道福田，作三乘因种，堪受信施，不负四恩。是以佛言：若人以四事供养四天下满中罗汉，尽于百年，不如有人一日一夜发心出家功德。又云：若人起七宝塔，高三十三天，亦不如出家功德胜。广在大藏不复繁引；既知此身如此尊胜，弥生珍敬，勿得自轻。

如是随机劝诱，临时自述，不必诵语。

阇梨说已，即取香汤，以指滴少许，灌于行者顶上，说偈云：

善哉大丈夫，能了世无常，舍俗趣泥洹，希有难思议。（此偈阇梨一人直声自说）

资持云：以香汤灌顶者，使身器清净，堪受善法故。

说偈讫，告云：汝当往佛前，礼拜十方佛，说归依偈。

行者即起，引请师引至佛前，行者作礼已，长跪合掌。

引请师教唱归依偈云：

归依大世尊，能度三有苦，亦愿诸众生，普入无为乐。

七、落发披衣

引请师复引至阇梨前，行者长跪合掌以净巾围肩项。

阇梨告云：剃除须发，为舍骄慢，着坏色衣，为除贪爱。少选之间，即与三乘贤圣仪相无别，当自欣庆。

言讫，为剃四边发，留顶上少许。

正剃发时，大众同唱出家偈云：

毁形守志节，割爱无所亲，弃家弘圣道，愿度一切人。

剃已，立起。又引至和尚前，行者长跪合掌。

和尚云：今为汝剃去顶发可否？

行者答云：尔！

和尚便为剃之，大众再同唱出家偈云：

毁形守志节，割爱无所亲，弃家弘圣道，愿度一切人。

剃已，除去净巾。

和尚取袈裟，授与行者。便顶戴受已，复还和尚。如是三反已，和尚亲为着之。说偈云：

大哉解脱服，无相实福田衣，披奉如戒行，广度诸众生。

（此偈和尚一人直声自说）

所授袈裟，即是缦衣。所以三授三反者，资持记云：三授与者，示勤至也。三反者，表辞让也。

八、授归教诫

引请师复引至阇梨前，行者长跪合掌。

阇梨告云：准毗尼母论，剃发着袈裟已，然后受三归五戒十戒。各登坛时，当自受之。今且为受翻邪三归，翻无始邪心，归三宝正觉。应示三宝境界。但创入道门，未谙法义；且示住持三宝，令寄在所。

应云：雕塑灵仪是佛宝，琅函玉轴是法宝，剃染禀戒是僧宝，汝当志诚归向。从今以后，尽此形命，誓依佛为师，誓学法藏，誓同僧海。

如是种种，随机开导已；阇梨教行者说云：

我某甲尽形寿，归依佛，归依法，归依僧。（三说）

我某甲尽形寿，归依佛竟，归依法竟，归依僧竟。（三说）

前之三说，即发善法；后之三说者，重更结嘱，不令忘失也。

授三归已，复告云：

汝既出家，当依出家法，修出家行；不得懒惰懈怠，悠悠度日。从今以后，先须远离诸恶，且说六种：一、淫，

二、盗，三、杀，四、妄，五、饮酒，六、食肉；是六种恶，障道之源，轮回之本，深须远离，慎勿为之。当须预择明师，咨问受戒方便仪式，策发开导令心明了。若茫无所知，名为受戒，实不得戒；由无戒故，一生虚受信施，将来隧堕恶道，长劫轮回，无由解脱。此非小事，宜切用心。又从今以去，即须除去杂务，日夜诵持，志诚祈祷，乞圣加被。及至受戒之后，或依师学律、或复听经、或参寻知识、或诵经课佛、或营事作福，呵护佛法，利益众生；不应求名逐利，作恶破戒，滥污僧伦，覆灭正法，翻种苦业，转增生死，是则出家无所利益。常记此语，以自策勤。无为空死，后致在悔。

按：原文在劝告预办衣钵等言。

现今受戒，皆由戒场备办，不许自制；故删备之。

九、自庆礼谢

引请师复引至佛前，行者作礼已；绕佛三匝，长跪合掌。引请师教行者唱自庆偈云：

遇哉值佛者，何人谁不喜，福愿与时会，我今获法利。

唱已，即起。礼众僧及和尚阇梨二师，即在众僧下座。

引请师事毕，至众前，合掌揖僧竟，复位。

十、祝赞回向

二师即从座起，大众随起。

二师至佛前拈香，长跪合掌。

维那白云：上来行法所有功德，奉祝梵释四王、天龙八部、伽蓝真宰、土地灵聪、各轸威神，安邦护法。今上国主，圣化无穷，文武官员，长居实录位。师僧父母、善恶知识、十方信施、法界众生，承此善根，俱登彼岸。

白讫二师起立，大众同念释迦牟尼佛号，绕佛数匝，复位，同唱偈云：

处世界如虚空，犹莲花不着水，

心清净超于彼，稽首礼无上尊。

或如常例，再增加唱三归偈，亦可。

大众礼佛退出。

关于印光大师

在泉州檀林福林寺念佛期讲

大师为近代之高僧，众所钦仰。其一生之盛德，非短时间所能叙述。今先略述大师之生平，次略举盛德四端，仅能于大师种种盛德中，粗陈其少分而已。

一、略述大师之生平

大师为陕西人。幼读儒书，二十一岁出家，三十三岁居普陀山，历二十年，人鲜知者。

一九一一年，师五十一岁时，始有人以师文隐名登入上海《佛学丛报》者。

一九一七年，师五十七岁，乃有人刊其信稿一小册。

一九一八年，师五十八岁，即余出家之年，是年春，乃刊《文钞》一册，世遂稍有知师名者。以后续刊《文钞》二册，又增为四册，于是知名者渐众。有通信问法者，有亲至普陀参礼者。

一九三〇年，师七十岁，移居苏州报国寺。此后十年，为弘法最盛之时期。

一九三七年，战事起，乃移灵岩山，遂兴念佛之大道场。

一九四〇年十一月初四日生西。生平不求名誉，他人有作文赞扬师德者，辄痛斥之。不贪蓄财物，他人供养钱财者至多，师以印佛书流通，或救济灾难等。一生不畜剃度弟子，而全国僧众多钦服其教化。一生不任寺中住持、监院等职，而全国寺院多蒙其护法。各处寺房或寺产，有受人占夺者，师必为尽力设法以保全之。故综观师之一生而言，在师自己，决不求名利恭敬，而于实际上，能令一切众生皆受莫大之利益。

二、略举盛德之四端

大师盛德至多，今且举常人之力所能随学者四端，略说述之。因师之种种盛德，多非吾人所可及，今所举之四端，皆是至简至易，无论何人，皆可依此而学也。

甲、习劳

大师一生，最喜自作劳动之事。余于一九二四年曾到普陀山，其时师年六十四岁，余见师一人独居，事事躬自操作，别无侍者等为之帮助。直至去年，师年八十岁，每日仍自己扫地，拭几，擦油灯，洗衣服。师既如此习劳，为常人的模范，故见人有懒惰懈怠者，多诫劝之。

乙、惜福

大师一生，于惜福一事最为注意。衣食住等，皆极简单粗劣，力斥精美。一九二四年，余至普陀山，居七日，每日自晨至夕，皆在师房内观察师一切行为。师每日晨食仅粥一大碗，无菜。师自云："初至普陀时，晨食有咸菜，因北方人吃不惯，故改为仅食白粥，已三十余年矣。"食毕，以舌舐碗，至极净为止。复以开水注入碗中，涤荡其余汁，即以之漱口，旋即咽下，惟恐轻弃残余之饭粒也。至午食时，饭一碗，大众菜一碗。师食之，饭菜皆尽。先以舌舐碗，又注入开水涤荡以漱口，与晨食无异。师自行如是，而劝人亦极严厉。见有客人食后，碗内剩饭粒者，必大呵曰："汝有多么大的福气？竟如此糟蹋！"此事常常有，余屡闻及人言之。又有客人以冷茶泼弃痰桶中者，师亦呵诫之。以上且举饭食而言。其他惜福之事，亦均类此也。

丙、注重因果

大师一生最注重因果，尝语人云："因果之法，为救国救民之急务。必令人人皆知现在有如此因，将来即有如此果，善有善报，恶有恶报。欲挽救世道人心，必须于此入手。"大师无论见何等人，皆以此理痛切言之。

丁、专心念佛

大师虽精通种种佛法，而自行劝人，则专依念佛法门。师之在家弟子，多有曾受高等教育及留学欧美者。而师决不与彼等高谈佛法之哲理，惟一一劝其专心念佛。彼弟子辈闻师言者，亦皆一一信受奉行，决不敢轻视念佛法门而妄生疑议。此盖大师盛德感化有以致之也。

以上所述，因时间短促，未能详尽，然即此亦可略见大师盛德之一斑。若欲详知，有上海出版之印光大师永思集，泉州各寺当有存者，可以借阅。今日所讲者止此。

授三皈依大意

癸酉五月在万寿岩讲

第一章　三皈之略义

三归者，归依于佛法僧三宝也。

三宝义甚广，有种种区别。今且就常人最易了解者，略举之。

佛者，如释迦牟尼佛、阿弥陀佛等诸佛是也。法者，为佛所说之法，或菩萨等依据佛意所说之法，即现今所流传之大小乘经律论三藏也。僧者，如菩萨声闻诸圣贤众、下至仅剃发被袈裟者皆是也。

皈依者，皈向依赖之意。

皈依于三宝者，乞三宝救护也。《大方便佛报恩经》云：譬人获罪于王，投向异国以求救护。异国王言，汝来无畏，但莫出我境，莫违我教，必相救护，众生亦尔。系属于魔，有生死罪。皈向三宝，以求救护。若诚心皈依，更无异向，不违佛教，魔王邪恶，无如之何。

◎既已皈依于佛，自今以后，决不再依天仙神鬼一切诸外道等。

◎既已皈依于法，自今以后，决不再依诸外道典籍。

◎既已皈依于僧，自今以后，决不再依于不奉行佛法者。

第二章　授三皈之方法

一、忏悔。二、正授三皈。三、发愿回向。

应先请授者详力解释此三种文义。

因仅读文而未解义，不能获诸善法也。

正授三皈之文有多种，常所用者如下：

◎我某甲，尽形寿，皈依佛、皈依法、皈依僧。三说

◎我某甲，皈依佛竟、皈依法竟、皈依僧竟。三结

前三说时，已得皈依善法。

后三结者，重更叮咛令不忘失也。

忏悔文及发愿回向文，由授者酌定之。但发愿回向，应有以此功德，回向众生，同生西方，齐成佛道之意。万不可惟求自利也。

第三章　授三皈之利益

经律论中，赞叹皈依三宝功德之文甚多。今略举四则。《灌顶经》云：受三皈者，有三十六善神，与其无量诸眷属，守护其人令其安乐。《善生经》云：若人受三皈，所得果报，不可穷尽。如四大宝藏（四宝者：金、银、琉璃、玻璃），举国人民，七年之中，运出不尽。受三皈者，其福过彼，不可称计。《较量功德经》云：若三千大千世界，满中如来，如稻麻竹苇。若人四事供养（饮食、衣服、卧具、汤药），满二万岁，诸佛灭后，各起宝塔，复以香花供养，其福甚多，不如有人以清净心，皈依佛法僧三宝所得功德。《大集经》云：妊娠女人，恐胎不安，先授三皈已，儿无加害；乃至生已，身心具足，善神拥护。是母受兼资于子也。

第四章　结诰

在本寺正式讲律，至今日圆满。今日所以聚集缁素诸众，讲三皈大意者，一以备诸师参考，俾他日为人授三皈时，知其简要之方法也。一以教诸在家人，令彼等了知三皈之大意，俾已受者，能了此意，应深自庆幸。其未受者，先能了知此意，且为他日依师受三皈之基础也。

敬三宝

癸酉闰五月五日在泉州大开元寺讲

三宝者，佛法僧也。其义甚广，今惟举其少分之义耳。

今言佛者且约佛像而言如木石等所雕塑及纸画者也。

今言法者且约经律论等书册而言，或印刷或书写也。

今言僧者且约当世凡夫僧而言，因菩萨罗汉等附入敬佛门也。

第一　敬佛略举常人所应注意者数条

礼佛时宜洗手漱口，至诚恭敬，缓缓而拜，不可急忙，宁可少拜，不可草率。佛几清洁，供香端直，供佛之物，以烹调精美人所能食者为宜。今多以食物之原料及罐头而供佛者殊为不敬，益大师大悲咒行法中曾痛斥之。又供佛宜在午前，不宜过午也。供水果亦宜午前。供水宜捧奉式。供花，花瓶水宜常换。

纸画之佛像，不可仅以绫裱，恐染蝇粪等秽物也（少蝇者或可）。宜装入玻璃镜中。

木石等雕塑者，小者应入玻璃龛中，大者应作宝盖罩之，并须常拂拭像上之尘土。

凡大殿及供佛之室中，皆不宜踞坐笑谈。如对于国王大臣乃至宾客之前尚应恭敬，慎护威仪，何况对佛像耶！不可佛前晒衣服，宜偏侧。不得在殿前用夜壶水浇花。若卧室中供佛像者，眠时应以净布遮障。

第二　敬法略举常人所应注意者数条

读经之时，必须洗手漱口拭几，衣服整齐，威仪严肃，与礼佛时无异。益大师云：展卷如对活佛，收卷如在目前，千遍万遍，寤寐不忘，如是乃能获读经之实益也。

对于经典应十分恭敬护持，万不可令其污损。又翻篇时宜以指腹轻轻翻之，不可以指爪划，又不应折角，若欲记志，以纸片夹入可也。

若经典残缺者亦不可烧。卧室中几上置经典者，眠时应以净布盖之。

附每日诵经时仪式

礼佛——多少不拘

赞佛——

供养——愿此香华云等

读经——

回向——不拘或用我此普贤殊胜行等。

第三　敬僧略举常人所应注意者数条

凡剃发披袈裟者，皆是释迦佛子，在家人见之，应一例生恭敬心；不可分别持戒破戒。

若皈依三宝时，礼一出家人为师而作证明者，不可妄云皈依某人。因所皈依者为僧，非皈依某一人，应于一切僧众，若贤若愚，生平等心，至诚恭敬，尊之为师，自称弟子。则与皈依僧伽之义，乃符合矣。

供养僧者亦尔。不可专供有德者，应于一切僧生平等心，普遍供之，乃可获极大之功德也。专赠一人功德小，供众者功德大。

出家人若有过失，在家人闻之，万不可轻言。此为佛所痛诫者，最宜慎之。

以上已略言敬三宝义竟。兹附有告者，厦门泉州神庙甚多，在家人敬神，每用猪鸡等物。岂知神皆好善而恶杀，今杀猪鸡等物而供神，神不受享，又安能降福而消灾耶。惟愿自今以后，痛革此种习惯，凡敬神时，亦一例改用素食，则至善矣。

关于念佛

甲戌八月万寿岩念佛堂开堂演词

今日万寿禅寺念佛堂开堂，余得参末席，深为荣幸。近十数年来，闽南佛法日益隆盛，但念佛堂尚未建立，悉皆引为憾事。今由本寺住持本妙法师发愿创建，开闽南风气之先。大众欢喜，叹为希有。本妙法师英年好学，亲近兴慈法主讲席已历多载。于天台教义及净土法门悉能贯通。故今本其所学，建念佛堂弘扬净土，可谓法门之龙象，僧中之芬陀矣。

今念佛堂既已成立，而欲如法进行，维持永久，胥赖护法诸居士有以匡辅而助理之。

考江浙念佛堂规则，约分二端。一为长年念佛，二为临时念佛。

长年念佛者，斋主供设延生或荐亡牌位，堂中住僧数人乃至数十人，每日念佛数次。

临时念佛者，斋主或因寿诞或因保病或因荐亡，临时念佛一日，乃至多日，此即是水陆经忏之变相。

以上二端中，长年念佛尚易实行。因规模大小可以随时变通，勉力支持犹可为也。若临时念佛，实行至为困难。因旧日习惯，惟尚做水陆诵经拜忏放焰口等。今遽废此习惯，改为念佛，非易事也。

印光老法师文钞中，屡言念佛胜于水陆经忏等。

今略引之。《与徐蔚如书》云：

至于七中，及一切时，一切事，俱宜以念佛为主。何但丧期。以现今僧多懒惰，诵经则不会者多。而又其快如流，会而不熟亦不能随念。纵有数十人，念者无几。惟念佛则除非不发心，决无不能念之弊。又纵不肯念，一句佛号入耳经心，亦自利益不浅，此余决不提倡作余道场之所以也。又《复黄涵之书》，数通中，皆言及此。又云：

至于保病荐亡，今人率以诵经拜忏做水陆为事。余与知友言，皆令念佛。以念佛利益，多于诵经拜忏做水陆多多矣。何以故？诵经则不识字者不能诵，即识字而快如流水，稍钝之口舌亦不能诵，懒人虽能亦不肯诵，则成有名无实矣。拜忏做水陆亦可例推。念佛则无一人不能念者，即懒人不肯念，而大家一口同音念，彼不塞其耳，则一句佛号固已历历明明灌于心中，虽不念与念亦无异也。如染香人，身有香气，非特欲香，有不期然而然者，为亲眷保安荐亡者皆不可不知。又云：至于作佛事，不必念经拜忏做水陆，以此等事，皆属场面，宜专一念佛，俾令郎等亦始终随之而念，女眷则各于自室念之，不宜附于僧位之末。如是则不但尊夫人令眷实获其益，即念佛之僧并一切见闻无不获益也。凡作佛事，主人若肯临坛，则僧自发真实心，倘主人以此为具文，则僧亦以此为具文矣。又云：做佛事一事，余前已详言之，祈勿徇俗徒作虚套，若念四十九天佛，较诵经之利益多多矣。

又《复周孟由昆弟书》云：

做佛事，只可念佛，勿做别佛事，并令全家通皆恳切念佛，则于汝母，于汝等诸眷属及亲戚朋友，皆有实益。又云：请僧念七七佛甚好。念时，汝兄弟必须有人随之同念。

统观以上印光老法师之言，于念佛则尽力提倡，于做水陆诵经拜忏放焰口等，则云决不提倡。又云念佛利益多于诵经拜忏做水陆多多矣。又云诵经拜忏做水陆有名无实。又云念经拜忏做水陆等事皆属场面。又云徒作虚套。老法师悲心深切，再三告诫，智者闻之，详为审察，当知何去何从矣。厦门泉州诸居士，归依印光老法师者甚众，惟望懔遵师训，努力劝导诸亲友等，自今以后，决定废止拜忏诵经做水陆等，一概改为念佛。若能如此实行，不惟闽南各寺念佛堂可以维持永久，而闽南诸邑人士信仰净土法门者日众，往生西方者日多，则皆现前诸居士劝导之功德也。幸各勉旃！

《人生之最后》弁言

岁次壬申十二月，厦门妙释寺念佛会请余讲演，录写此稿。于时了识律师卧病不起，日夜愁苦。见此讲稿，悲欣交集，遂放下身心，屏弃医药，努力念佛，并扶病起，礼大悲忏，吭声唱诵，长跽经时，勇猛精进，超胜常人。见者闻者，靡不为之惊喜赞叹，谓感动之力有如是剧且大耶。余因念此稿虽仅数纸，而皆撮录古今嘉言及自所经验，乐简略者或有所取。乃为治定，付刊流布焉。

弘一演音记

1932 年 53 岁时撰写